Collection fondée par Fé.
Agrégé des Lettres

La Chanson de Roland

extraits

Chanson de geste

Édition présentée,
annotée et commentée
par Évelyne AMON,
certifiée de lettres modernes

D'après la traduction de Joseph Bédier (1920-1922)

ISBN : 978-2-03-584642-6

SOMMAIRE

Avant d'aborder l'œuvre

7 Pour ou contre ?
8 Repères chronologiques
10 Fiche d'identité de *La Chanson de Roland*
11 Pour ou contre *La Chanson de Roland* ?
12 Pour mieux lire l'œuvre

La Chanson de Roland

20 Première partie : le guet-apens
40 Deuxième partie : la bataille de Roncevaux
74 Troisième partie : le châtiment du traître

95 **Avez-vous bien lu ?**

Pour approfondir

106 Thèmes et prolongements
114 Textes et images
131 Langue et langages
137 Outils de lecture
140 Bibliographie et filmographie

AVANT D'ABORDER L'ŒUVRE

AVANT D'ABORDER L'ŒUVRE

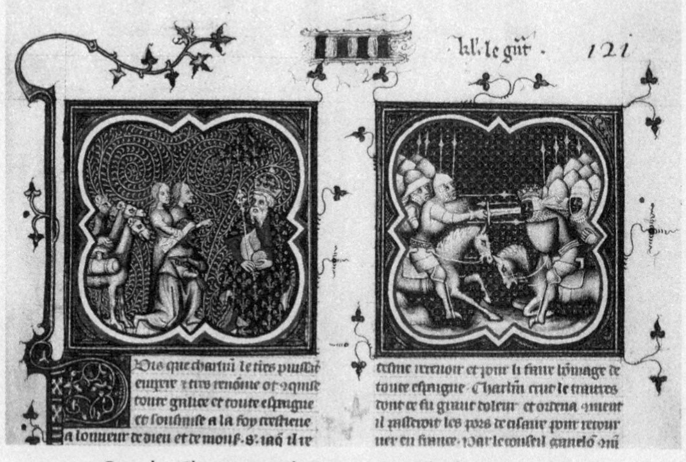

Grandes Chroniques de France. Bataille de Roncevaux – Miniatures et lettres ornées sur vélin (XIVe siècle).

Pour ou contre

Pour

Ernest RENAN :

« C'est l'esprit de la nation, son génie, si l'on veut, qui est le véritable auteur de *La Chanson de Roland*. »

Cahiers de jeunesse, 1845-1846.

Joseph BÉDIER :

« J'admire [...] les allures aristocratiques de son art, les ressources et la fière tenue, très raffinée, d'une langue ingénieuse, nuancée, volontaire. »

La Chanson de Roland, édition d'art Piazza, 1922.

Albert PAUPHILET :

« Tout, chez ce poète étonnant, est équilibre, nuance, adresse, mesure. »

Poètes et romanciers du Moyen Âge, Gallimard, 1952.

Albert PAUPHILET :

« Ce poète, qui avec tant d'amour et de piété a célébré la "douce France" et ses fils braves entre les braves, a donné aussi à ce pays son premier chef-d'œuvre, véritable chant sacré de notre nation. »

Poètes et romanciers du Moyen Âge, Gallimard, 1952.

Contre

René DOUMIC :

« Notre poète ne sait pas composer un récit, surtout il est incapable d'étudier les caractères et d'en reproduire la vivante complexité. »

Histoire de la littérature française, Librairie classique Paul Delaplane, 1896.

André LAGARDE et Laurent MICHARD :

« Le vieux poète n'a pas le don de peindre des âmes complexes, le génie des analyses raffinées. »

Moyen Âge, Bordas, 1965.

Repères chronologiques

Littérature et culture du Moyen Âge	*Événements et personnages politiques*

Des œuvres souvent anonymes

Les récits du Moyen Âge sont, pour la plupart, des œuvres anonymes : on n'en connaît pas les auteurs. Ils sont écrits à la main par les « copistes » chargés de les noter sur des parchemins, avec de belles enluminures en couleur.

Les jongleurs : l'art de réciter en musique

À une époque où seulement quelques milliers de personnes savent lire en France, les chansons de geste, puis plus tard les poèmes et les romans, sont transmises oralement. Elles sont apprises par cœur et colportées par les fameux « jongleurs » du Moyen Âge. Qui sont-ils ? des artistes à la fois chanteurs professionnels, faiseurs de tours et saltimbanques qui vont de ville en ville et de château en château pour animer des fêtes.
Les jongleurs possèdent un répertoire d'une centaine de chansons de geste en vers qu'ils chantent sur une mélodie très simple en s'accompagnant d'une vielle (instrument à corde).

Un public mélangé

Composé de gens du peuple, de chevaliers, de pages, d'écuyers et de valets, de dames réunis sur une place publique ou dans la grande salle d'un château fort, l'auditoire est avide d'entendre raconter les exploits merveilleux de héros légendaires.
Généralement, une séance (1 000 à 1 300 vers) commence après

Charlemagne (2 avril 742 [ou 747] / 28 janvier 814)

En latin « Carolus Magnus », Charles le Grand. Petit-fils de Charles Martel ; fils de Pépin III dit « le Bref » et de Berthe de Laon dite « au grand pied ».
Le 25 décembre 800, il est couronné empereur d'Occident par le pape Léon III. Il est le plus glorieux souverain de la dynastie carolingienne.

Les guerres de conquête

Pour fidéliser ses vassaux, Charlemagne doit leur donner des terres, ce qui l'oblige à conquérir des territoires étrangers et à étendre son empire.
« En 46 années de règne et en 53 campagnes militaires, Charlemagne va progressivement réunir sous son autorité la majeure partie de l'Europe occidentale et constituer le plus vaste rassemblement de nations que l'Occident ait connu depuis l'Empire romain ; à sa mort, seules la Bretagne, l'Espagne et les îles Britanniques échappent au contrôle des Francs carolingiens. Pratiquant la christianisation forcée, Charles va achever son œuvre de rassemblement en ressuscitant la notion d'empire d'Occident, perdue depuis l'effondrement de Rome, en 476 »[1].

1. D'après l'Encyclopédie en ligne Larousse, article « Charlemagne ».

Littérature et culture du Moyen Âge	*Événements et personnages politiques*

le déjeuner et se termine en fin d'après-midi : ainsi, *La Chanson de Roland* peut s'étendre sur 2 journées avec des pauses. Fréquemment, le jongleur intervient dans le récit : il ajoute ou retranche un mot ou un vers et fait ainsi évoluer la forme d'origine selon sa propre inspiration.

Des œuvres sans cesse retouchées
La chanson de geste est constamment retouchée : par celui qui la raconte (le jongleur), mais aussi par celui qui la met par écrit (le copiste) : ainsi plusieurs personnes participent à sa création, ce qui n'est pas gênant, car, au Moyen Âge, les œuvres appartiennent à tout le monde.

Un spectacle populaire
« C'est au milieu des banquets alors très prolongés, ou sur les places publiques, aux jours de grandes fêtes, qu'on prêtait surtout l'oreille aux héroïques chansons de geste. Quand ils s'adressaient à la foule assemblée par hasard, les jongleurs, libres de toute influence personnelle, pouvaient suivre leur goût particulier et passer avec plus ou moins de rapidité sur les parties du récit qui ne semblaient pas obtenir une attention générale » (Paulin Paris, *Histoire littéraire de la France*, 1852).

« La campagne d'Espagne »
Elle débute victorieusement par la prise de Pampelune en 778, mais un soulèvement des Saxons oblige Charles à lever précipitamment le siège de Saragosse. Au retour, franchissant les Pyrénées à Roncevaux, son arrière-garde est attaquée et détruite le 15 août 778 par les Basques ou les Gascons (habitant le nord de l'Espagne et le sud de la Gascogne, que Charlemagne n'a jamais réussi à soumettre) et par des musulmans. L'épopée s'est emparée, en le déformant, de cet événement et a magnifié ses protagonistes, le souverain Charles et le chevalier Roland. Des documents nous apprennent qu'Éginhard, le comte du palais, et Roland, préfet des Marches de Bretagne, ont été tués dans ce combat[1].

1. D'après l'Encyclopédie en ligne Larousse, article « Charlemagne ».

Fiche d'identité de l'œuvre

La Chanson de Roland

Auteur :
œuvre anonyme attribuée, sans certitude, à un certain Turold, clerc, copiste ou récitant.

Genre :
chanson de geste (vers la fin du XIe siècle).

Forme :
poème épique de 4 002 vers décasyllabes (10 syllabes).

Structure : 291 « laisses » (strophes) de longueur inégale, chacune construite sur une même assonance (répétition d'une même voyelle accentuée en fin de vers).

Principaux personnages : l'empereur Charlemagne, vieillard puissant et majestueux ; Roland son neveu, preux et fier ; Olivier, ami de Roland, preux et sage ; Ganelon, beau-père de Roland, baron et traître ; Turpin, archevêque-guerrier ; les douze pairs de France, élite guerrière; Marsile, roi des Sarrasins, fourbe ; Baligant, émir de Babylone.

Sujet : après sept ans de guerre avec l'Espagne, Charlemagne doit vaincre Saragosse. Quand l'émir Marsile fait mine de vouloir la paix, l'empereur envoie un ambassadeur pour négocier un accord : sur proposition de Roland, ce sera Ganelon. Furieux, l'envoyé spécial, pour se venger de Roland, passe dans le camp ennemi. De retour après son ambassade il suggère à l'empereur que Roland ferme la marche de l'armée française qui s'apprête à regagner la « douce France ». Mais, au col de Roncevaux, 400 000 Sarrasins attaquent les 20 000 soldats français formant l'arrière-garde. L'affrontement est héroïque et sanglant. Quand Roland, resté sourd aux conseils d'Olivier désireux d'appeler Charlemagne à l'aide, finit par sonner du cor, il est trop tard : l'armée française est anéantie. Arrivé sur le champ de bataille pour constater la mort des siens, Charlemagne poursuit implacablement l'ennemi : Marsile, puis son allié Baligant ne résistent pas à son assaut. Après avoir pris Saragosse, l'empereur rentre à Aix-la-Chapelle. Ganelon, jugé coupable de trahison, est écartelé.

Pour ou contre La Chanson de Roland ?

Pour

Gaston PARIS :

« L'art incontestable qui éclate dans cette œuvre est un art essentiellement français, qui rappelle en beaucoup de points la conception de nos tragédies classiques. »

Histoire poétique de Charlemagne, 1905.

Albert PAUPHILET :

« L'agencement dramatique, l'enchaînement des faits, est remarquablement simple et efficace. »

Poètes et romanciers du Moyen Âge, Gallimard, 1952.

Anne ARMAND :

« La simplification des personnages, qui réduit le récit à l'affrontement entre un traître et un preux chevalier, pour la défense du vieux roi et de la foi, donne à chaque élément de la chanson une résonance extraordinaire. »

Itinéraires littéraires, Hatier, 1988.

Contre

Ferdinand BRUNETIÈRE :

« La langue est dure, dure à l'oreille, dure à la gorge ; il n'est pas jusqu'aux plus belles pensées qu'elle ne parque à son caractère de rudesse et de barbarie. »

Études critiques sur l'histoire de la littérature française, 1882.

Gustave LANSON :

« La forme est sèche et rude, la langue raide et pauvre. »

Histoire de la littérature française, Hachette, 1895.

Pour mieux lire l'œuvre

✣ Au temps de *La Chanson de Roland*

Qu'est-ce que le Moyen Âge ?

Le Moyen Âge nous renvoie à des temps très anciens, qui couvrent plusieurs siècles de l'histoire de France : du Vᵉ siècle (chute de l'Empire romain d'Occident en 476) au XVᵉ (renouveau de la culture française). C'est l'époque de la société féodale où tout repose sur le lien du suzerain avec ses vassaux : le premier règne de toute sa puissance sur un grand domaine, les seconds s'engagent à le « servir » en toutes circonstances, à lui donner leur « conseil », à faire la guerre pour le défendre. En échange, ils reçoivent sa protection, des armes et des terres.

C'est durant cette période que, peu à peu, s'organise l'unité française, autour de la figure du roi de France : un roi qui a encore du mal à s'imposer face au pouvoir de ses vassaux. C'est aussi à ce moment de notre histoire, et plus précisément à partir de la fin du XIᵉ siècle, que naît la littérature française, avec ses héros fameux (Charlemagne, Roland et Olivier, Tristan et Iseut, le roi Arthur et ses chevaliers de la Table ronde), ses thèmes favoris (la guerre, la foi, l'héroïsme, la passion amoureuse) et les genres qui s'imposeront dans le goût national : la chanson de geste, la poésie, le fabliau, le roman.

La chanson de geste : à la gloire de la France et de la chrétienté

Apparue vers le milieu du XIᵉ siècle, la chanson de geste est un long poème d'aventures guerrières qui raconte les exploits de héros indomptables, défenseurs des valeurs de la chevalerie : la religion, la fidélité à son seigneur, l'honneur, le lignage[1]. Surhommes dont la force physique et mentale est exceptionnelle, ils ont la passion du combat et connaissent parfaitement le maniement des armes.

---

1. **Lignage** : race, au sens de « famille » ; lignée, parenté, ensemble des ancêtres, des aïeux.

La chanson de geste « a pour sujet des faits historiques » (Gaston Paris). Elle rapporte, en les transformant et en les glorifiant, des événements qui se sont déroulés dans un lointain passé. Elle vise à développer, chez le public, l'amour de la France et la foi en Dieu, en utilisant tous les moyens d'expression de l'épopée (voir Thèmes et prolongements, p. 110).

Pendant longtemps, ces récits guerriers ont la faveur de l'auditoire, mais, vers le milieu du XIIe siècle, la société se transforme et le goût change : on préfère les histoires d'amour dans lesquelles le chevalier se bat pour sa dame. Le roman courtois détrône alors la chanson de geste.

La Chanson de Roland ou l'esprit des croisades

Parmi la centaine de chansons de geste qui nous est parvenue, une trentaine est consacrée à Charlemagne, roi des Francs et des Lombards, empereur d'Occident (voir Repères chronologiques, p. 8). *La Chanson de Roland* est la plus ancienne d'entre elles. Rédigée en français (dialecte anglo-normand) à partir d'un manuscrit datant des années 1070, elle comporte 4 002 vers de 10 syllabes (des « décasyllabes ») assonancés (qui présentent la même sonorité dans la dernière voyelle accentuée. Ex. : France/chambre). L'ensemble est organisé en 291 strophes (appelées « laisses ») de longueur inégale. Récit des aventures de Charlemagne parti combattre les infidèles d'Espagne (les « Sarrasins » ou « païens »), elle s'inscrit dans la perspective des croisades, ces gigantesques expéditions menées par des grands seigneurs chrétiens (30 000 hommes en 1097 !) vers la Terre sainte qu'il faut délivrer des musulmans.

Des sources historiques : le massacre de Roncevaux

La Chanson de Roland trouve son origine dans un événement survenu le 15 août 778 : Charlemagne, alors âgé de 36 ans, revient d'une campagne contre les Sarrasins qui dominent l'Espagne depuis le début du VIIIe siècle. Son arrière-garde, dirigée par le comte Roland, tombe dans une embuscade sanglante : assaillie par les Basques

dans les défilés des Pyrénées (non loin de Roncevaux, à quelques kilomètres de la frontière française), elle est anéantie.
Écrite entre 1090 et 1130, *La Chanson de Roland* n'a été publiée qu'en 1837, quand Francisque Michel, un chercheur passionné par notre littérature ancienne, a retrouvé à Oxford (Angleterre) un manuscrit de l'œuvre. Mais une incertitude majeure entoure sa création : à qui doit-on ce long poème épique ? Qui est ce Turold, mentionné dans le dernier vers « ici finit la geste que Turold achève » ? Est-il l'auteur, est-il le copiste qui a mis l'histoire par écrit ou le jongleur qui l'a racontée devant un auditoire attentif ? La question reste ouverte...

De la légende à la fiction

Par quelle opération un épisode mineur de l'histoire de France donne-t-il naissance à *La Chanson de Roland*, une « œuvre de pure poésie[1] » ? Et comment une défaite devient-elle « un des plus brûlants monuments d'héroïsme national[2] » ? D'abord trois siècles séparent les faits (fin du VIIIe siècle) de la création du poème (fin du XIe siècle), assez pour qu'une légende ait le temps de se former autour des personnages de Charlemagne et de Roland. Ensuite, l'auteur de *La Chanson de Roland*, s'il s'inspire de l'événement, en change radicalement l'esprit.
En premier lieu, il transpose l'action dans le contexte historique et social du XIe siècle. Ainsi il inscrit la conquête de l'Espagne dans le cadre d'une guerre sainte : une banale expédition guerrière se transforme en un affrontement majeur entre le christianisme et l'islam. Les preux sarrasins et français portent l'équipement des chevaliers du XIe siècle (le heaume, le haubert, l'écu, l'épieu, l'épée). Dans les deux camps, le chef est entouré de douze pairs entièrement dévoués à leur seigneur. Charlemagne est à l'image d'un suzerain féodal : le

---

1. Eugène Vinavier, *À la recherche d'une poétique médiévale*, Nizet, 1970.
2. Paul Guth, *Histoire de la littérature française*, Fayard, 1967.

poète transforme un jeune roi de 36 ans en un vieillard de 200 ans, roi de France idéalisé qui incarne aux yeux de ses vassaux la sagesse, la puissance et la stabilité.

En deuxième lieu, le poète introduit des éléments dramatiques : il invente Ganelon, figure magistrale du traître ; il crée les beaux personnages d'Olivier et de l'archevêque Turpin, héros magnifiques de la bataille de Roncevaux ; il fait de Roland le neveu de Charlemagne et l'ami d'Olivier. Enfin, il imagine la victoire finale de Charlemagne sur les Sarrasins et, pour conclure sur une note morale, la punition de Ganelon.

Le premier chef-d'œuvre de la littérature française

La Chanson de Roland est une des plus anciennes chansons de geste françaises. Référence majeure de notre littérature et modèle du genre, elle connaît en France et à l'étranger un retentissement considérable. Elle sera traduite, copiée et imitée dans toute l'Europe jusqu'au XVe siècle (en Italie, *Roland amoureux*, 1494). Roland et Olivier inspireront même à Victor Hugo un merveilleux poème romantique !

Pourquoi un tel succès ? Parce que, dès le XIe siècle, *La Chanson de Roland* se pose en modèle : elle affiche les idéaux qui définissent l'identité nationale : la foi, le patriotisme, l'unité du pays derrière son roi. Les principaux personnages de *La Chanson de Roland* dessinent des types à partir desquels seront conçus d'autres héros célèbres de notre littérature : Lancelot, Yvain et Tristan s'inscrivent dans la lignée d'Olivier et de Roland, tout comme le roi Arthur entre dans la tradition des grands rois féodaux. L'évocation pathétique de la défaite donne en exemple l'expression des sentiments. Sur le plan des manifestations surnaturelles, les rêves prémonitoires et les interventions divines dans *La Chanson de Roland* ouvrent le champ aux innombrables merveilles des romans de la Table ronde. Enfin le poète établit les règles de composition et d'écriture de l'épopée médiévale.

Pour mieux lire l'œuvre

L'essentiel

Époque de la société féodale, le Moyen Âge crée la chanson de geste, un genre apparu à la fin du XIe siècle, à partir de légendes empruntées au lointain passé de la France. *La Chanson de Roland*, long poème à la gloire de Charlemagne et de ses preux chevaliers, s'inspire, en le dramatisant, d'un épisode de l'histoire de France survenu en 778. Elle fonde la littérature française en donnant pour modèle les héros Roland et Olivier, et pour idéal le service de Dieu et de Charlemagne.

L'œuvre aujourd'hui

Un attrait persistant

La Chanson de Roland reste une œuvre unique dans la littérature française. Des traductions dépoussiérées et plus libres donnent désormais un accès facile au texte et les professeurs peuvent le faire étudier dans leur classe sans se soucier des obstacles de la langue. Le jeune public s'enthousiasme pour les caractères si nobles d'Olivier et de Roland qui montrent l'exemple d'une amitié parfaite en dépit des désaccords. Quant aux dialogues exigeants et généreux des personnages, ils suscitent l'admiration, tandis que le personnage du traître reste une énigme à discuter et à résoudre : pourquoi Ganelon trahit-il Charlemagne ? Comment un « baron » se transforme-t-il en « félon » ? Crime ou vengeance ?

L'action resserrée autour du guet-apens tendu aux 20 000 soldats français tient le lecteur en haleine : si désormais le récit de la bataille nous paraît un peu long, il met en scène l'héroïsme guerrier sous une forme visuelle qui séduit le lecteur contemporain solidement formé à l'image. Présentée tantôt à travers des gros plans dramatiques, tantôt sous forme de vastes fresques épiques, la bataille de Roncevaux évoque les formes les plus accomplies de la bande dessinée ou des jeux vidéo si appréciés du jeune public.

Enfin, les thèmes dominants intéressent le lecteur d'aujourd'hui : la lutte entre les Francs et les Sarrasins invite chacun à réfléchir sur les relations entre le monde chrétien et le monde musulman, question toujours d'actualité. Quant aux évocations sentimentales de la « douce France », très fréquentes dans le récit, elles éveillent une vraie curiosité envers ce pays si cher au cœur de Charlemagne et de ses pairs.

Un intérêt documentaire

Pour le lecteur du XXIe siècle, *La Chanson de Roland* ouvre la porte du lointain passé de la France dans ses moindres détails : décrits avec soin, les vêtements et les armes nous initient aux coutumes de l'époque tandis que les conseils que réunissent Charlemagne et Marsile avant de prendre une décision nous révèlent les mécanismes d'une politique et d'une justice organisées autour de la personne du roi. Le « service » que le chevalier doit à son seigneur nous montre une civilisation où le devoir doit aller jusqu'au sacrifice. L'art de la guerre, si barbare dans ses excès, nous dévoile les règles du combat médiéval fondé alors sur l'affrontement à cheval, le duel à l'épée et le corps-à-corps. La sensibilité de l'époque déconcerte : les mots tendres qu'échangent Olivier et Roland avant de mourir autant que les larmes de Charlemagne devant le carnage remettent en question nos préjugés sur l'héroïsme en nous montrant des surhommes capables de pleurer. Enfin, même si le camp de Marsile ressemble étrangement à celui de Charlemagne, le face-à-face entre les deux rois et leurs nations initie le jeune lecteur à la comparaison des cultures dans une idée de tolérance toute moderne.

L'essentiel

La Chanson de Roland donne accès à une histoire passionnante dont les thèmes dominants – l'amitié, la trahison, la guerre – continuent d'intéresser le jeune public. Elle soulève le débat autour des questions de religion et donne de la France une image poétique qui éveille la curiosité. À travers une multitude de détails concrets, elle permet de se familiariser avec la civilisation du Moyen Âge et le monde des Sarrasins.

Charlemagne envoie Ganelon auprès des rois de Saragosse.
Miniature (XIIIe siècle).

La Chanson de Roland

extraits

Chanson de geste

D'après la traduction de Joseph Bédier (1920-1922)

Première partie
Le guet-apens

Épisode I : La feinte de Marsile et la désignation de Ganelon comme ambassadeur chez l'ennemi païen.

1. Le roi Charles[1], notre empereur, le Grand, sept ans tous pleins est resté en Espagne : jusqu'à la mer il a conquis la terre haute. Plus un château qui devant lui résiste, plus une muraille à forcer, plus une cité, excepté Saragosse, qui est sur une montagne. Le roi 5 Marsile[2], qui n'aime pas Dieu, l'occupe. C'est Mahomet qu'il sert, Apollin[3] qu'il prie. Cet infidèle ne pourra empêcher le malheur de l'atteindre.

2. Le roi Marsile est à Saragosse. Il s'en est allé dans un verger, sous l'ombre. Sur un perron[4] de marbre bleu il se couche ; autour 10 de lui, ils sont plus de vingt mille. Il appelle ses ducs et ses comtes[5] : « Entendez, seigneurs, quel malheur nous accable. L'empereur Charles de douce France[6] est venu dans ce pays pour nous anéantir. Je n'ai point d'armée pour lui livrer bataille ; mes gens ne sont pas de taille à le vaincre. Conseillez-moi, vous, mes hommes 15 sages, et gardez-moi contre la mort et la honte ! » Aucun païen[7] ne répond un seul mot, sinon Blancandrin[8], du château de Val-Fonde.

---

1. **Charles** : Charlemagne a conquis tous les territoires espagnols qui étaient aux mains des infidèles (les Sarrasins ou musulmans), sauf Saragosse.
2. **Marsile** : émir, c'est-à-dire prince musulman qui règne sur Saragosse.
3. **Apollin** : les musulmans (ou Sarrasins) des chansons de geste adorent trois dieux : Mahomet, Apollon (dieu grec) et Tervagant, contrairement aux chrétiens qui révèrent Jésus-Christ.
4. **Perron** : bloc de pierre placé près de l'entrée d'un palais pour monter à cheval ou descendre de cheval.
5. **Ses ducs et ses comtes** : les hommes les plus puissants qui entourent l'émir.
6. **Douce France** : la France, à l'époque, est toujours dite « douce ».
7. **Païen** : ici, synonyme de musulman, de Sarrasin.
8. **Blancandrin** : conseiller favori de Marsile, réputé pour sa sagesse et sa vaillance.

3. Parmi les païens, Blancandrin était sage : par sa vaillance[1], bon chevalier ; par sa prud'homie[2], bon conseiller de son seigneur. Il dit au roi : « Ne vous effrayez pas ! Faites parvenir à Charles, à
20 l'orgueilleux, au fier, des paroles de fidèle service et de très grande amitié. Vous lui donnerez des ours et des lions et des chiens, sept cents chameaux et mille autours[3] sortis de mue[4], quatre cents mulets, chargés d'or et d'argent, cinquante chars dont il formera un charroi[5] : avec tout cela, il pourra largement payer ses soldats.
25 Faites-lui dire qu'en cette terre assez longtemps il guerroya[6] ; qu'en France, à Aix, il devrait bien s'en retourner ; que vous l'y suivrez à la fête de saint Michel ; que vous vous ferez chrétien ; que vous deviendrez son vassal en tout honneur et tout bien[7]. Veut-il des otages, eh bien, envoyez-en, ou dix ou vingt, pour le mettre en
30 confiance. Envoyons-lui les fils de nos femmes : même s'il doit mourir, j'y enverrai le mien. Il vaut bien mieux qu'ils y perdent leurs têtes plutôt que nous, nous perdions notre honneur et notre dignité, et que nous en soyons réduits à la mendicité. »

4. Blancandrin dit : « Par ma main droite, et par la barbe qui
35 flotte au vent sur ma poitrine[8], sans attendre vous verrez l'armée des Français se défaire. Les Francs[9] retourneront en France : c'est leur pays. Quand ils seront rentrés chacun dans son plus cher domaine, et Charles dans Aix, sa chapelle, il tiendra, à la Saint-Michel, une très haute cour. La fête viendra, le terme[10] passera : le
40 roi n'entendra de nous sonner mot ni nouvelle. Il est orgueilleux

---

1. **Vaillance :** courage.
2. **Prud'homie :** sagesse et loyauté.
3. **Autours :** oiseaux de proie dressés pour la chasse.
4. **Sortis de mue :** ayant tout juste mué.
5. **Charroi :** convoi de chariots et de charrettes.
6. **Guerroya :** « guerroyer » signifie « passer son temps à faire des opérations de guerre ».
7. **Que vous deviendrez son vassal en tout honneur et tout bien :** que vous vous mettrez à son service. C'est une feinte que propose Blancandrin ! Un vassal est un noble gentilhomme attaché à un seigneur qui lui a donné une terre.
8. **La barbe qui flotte au vent sur ma poitrine :** attitude de défi.
9. **Les Francs :** les Français qui accompagnent Charlemagne.
10. **Le terme :** la date limite.

et son cœur est cruel : il fera trancher les têtes de nos otages. Bien mieux vaut qu'ils perdent leurs têtes plutôt que perdions, nous, l'Espagne si claire et si belle, et que nous éprouvions tant de maux et de détresse ! » Les païens disent : « Peut-être qu'il dit vrai ! »

5. Le roi Marsile a tenu son conseil[1]. Il appela Clarin de Balaguer, Estamarin et son pair[2] Eudropin, et Priamon et Guarlan le Barbu, et Machiner et son oncle Maheu, et Joüner et Malbien d'outremer, et Blancandrin, pour parler en son nom. Il prend à part dix de ses hommes parmi les plus fourbes[3] : « Vers Charlemagne, seigneurs barons[4], vous irez. Il est devant la cité de Cordres[5], qu'il assiège. Vous porterez en vos mains des branches d'olivier, ce qui signifie paix et humilité. Si par votre adresse vous pouvez trouver pour moi un accord, je vous donnerai de l'or et de l'argent en masse, des terres et des fiefs[6], tant que vous en voudrez. » Les païens disent : « C'est nous combler ! »

6. Le roi Marsile a tenu son conseil. Il dit à ses hommes : « Seigneurs, vous irez. Vous porterez des branches d'olivier en vos mains, et vous direz au roi Charlemagne que pour son Dieu il ait pitié de moi ; qu'il ne verra point ce premier mois passer avant que je ne l'aie rejoint avec mille de mes fidèles ; que je recevrai la loi chrétienne et deviendrai son homme en tout amour et toute foi. Veut-il des otages, en vérité, il en aura. » Blancandrin dit : « Par là vous obtiendrez un bon accord. »

7. Marsile fit amener dix mules blanches, que lui avait envoyées le roi de Suatille. Leurs rênes sont d'or ; les selles, serties d'argent. Les messagers montent ; en leurs mains ils portent des branches d'olivier. Ils s'en vinrent vers Charles, qui gouverne la France. Charles ne peut se protéger contre le complot monté contre lui.

---

1. **A tenu son conseil :** a fini de discuter avec ses conseillers.
2. **Pair :** chevalier d'élite qui accompagne le roi.
3. **Fourbes :** trompeurs, menteurs, traîtres.
4. **Seigneurs barons :** désigne tous les grands seigneurs de l'entourage immédiat du roi.
5. **Cordres :** Cordoue.
6. **Fiefs :** dans le monde féodal, terres que le seigneur donne à ses vassaux en échange de leur service.

8. L'empereur s'est fait joyeux ; il est de bonne humeur : Cordres, il l'a prise. Il en a broyé les murailles, et de ses pierrières[1] a abattu les tours de la ville. Grand est le butin qu'ont fait ses chevaliers, or, argent, précieuses armures. Dans la cité plus un païen n'est resté : tous furent tués ou faits chrétiens. L'empereur est dans un grand verger : près de lui, Roland[2] et Olivier, le duc Samson et Anseïs le fier, Geoffroy d'Anjou, gonfalonier[3] du roi, et là furent encore et Gérin et Gérier, et avec eux tant d'autres de douce France, ils sont quinze mille. Sur de blancs tapis de soie sont assis les chevaliers ; pour se divertir, les plus sages et les vieux jouent aux tables[4] et aux échecs, et les plus jeunes s'entraînent à l'escrime[5]. Sous un pin, près d'un églantier, un trône est dressé, tout d'or pur : là est assis le roi qui gouverne la douce France. Sa barbe est blanche[6] et sa tête chenue[7] ; son corps est beau, son maintien fier : inutile qu'on le désigne à celui qui le cherche. Et les messagers mirent pied à terre et le saluèrent en tout amour et respect. [...]

En fidèle ambassadeur, Blancandrin, envoyé spécial de Marsile, affirme que son roi est prêt à se soumettre et à conclure une paix sans condition. Le lendemain matin, de très bonne heure, Charlemagne réunit ses barons pour examiner cette proposition aussi suspecte qu' inattendue.

12. L'empereur s'en va sous un pin ; pour tenir son conseil il fait appeler ses barons : le duc Ogier et l'archevêque Turpin, Richard le Vieux et son neveu Henri, et le preux[8] comte de Gascogne Acelin, Thibaud de Reims et son cousin Milon. Vinrent aussi et Gérier et Gérin ; et avec eux le comte Roland et Olivier, le preux et le noble ; des Francs de France ils sont plus d'un millier ; Ganelon y vint, qui

---

1. **Pierrières :** machines de guerre utilisées au Moyen Âge pour lancer des pierres.
2. **Roland :** neveu de Charlemagne.
3. **Gonfalonier :** celui qui porte le gonfalon c'est-à-dire l'enseigne (le drapeau) du roi.
4. **Tables :** sorte de jeu de dames.
5. **Escrime :** sport de combat à l'épée.
6. **Sa barbe est blanche :** un signe de son grand âge.
7. **Tête chenue :** couverte de cheveux blancs. Symbolise tantôt le grand âge, la sagesse et l'expérience, tantôt la faiblesse liée à la vieillesse.
8. **Preux :** homme de grande valeur, excellent guerrier, noble et généreux.

fit la trahison. Alors commence le conseil[1] d'où devait naître un grand malheur.

13. « Seigneurs barons, dit l'empereur Charles, le roi Marsile m'a envoyé ses messagers. De ses richesses il veut me donner en 100 abondance, ours et lions, et vautres[2] dressés pour qu'on les mène en laisse, sept cents chameaux et mille autours[3] bons à mettre en mue, quatre cents mulets chargés d'or d'Arabie, et en outre plus de cinquante chars. Mais il me fait dire que je m'en aille en France : il me suivra à Aix, en mon palais, et recevra notre loi chrétienne, 105 qu'il avoue la plus sainte ; il sera chrétien, c'est de moi qu'il tiendra ses terres. Mais je ne sais quel est le fond de son cœur. » Les Français disent : « Méfions-nous ! »

14. L'empereur a dit sa pensée. Le comte Roland, qui n'est pas d'accord, se dresse sur ses pieds et vient y contredire. Il dit au 110 roi : « Malheur si vous en croyez Marsile ! Voilà sept ans tous pleins que nous vînmes en Espagne. Je vous ai conquis et Noples et Commibles ; j'ai pris Valterne et la terre de Pine et Balaguer et Tudèle et Sezille. Alors le roi Marsile fit une grande trahison : il envoya quinze de ses païens, et chacun portait une branche d'oli115 vier, et ils vous disaient toutes ces mêmes paroles. Vous prîtes[4] le conseil de vos Français. Ils vous conseillèrent assez follement : vous fîtes partir vers le païen deux de vos comtes, l'un était Basant et l'autre Basile ; dans la montagne, sous Haltilie, il prit leurs têtes. Faites la guerre comme vous l'avez commencée ! Menez à 120 Saragosse tous vos hommes assemblés ; mettez-y le siège, dût-il durer toute votre vie, et vengez ceux que le traître fit tuer. »

15. L'empereur tient la tête baissée. Il lisse sa barbe, arrange sa moustache, ne fait à son neveu, bonne ou mauvaise, nulle réponse. Les Français se taisent, sauf Ganelon. Il se dresse droit sur ses 125 pieds, vient devant Charles. Très fièrement il commence. Il dit au roi : « Malheur, si vous en croyez la canaille, moi ou tout autre, qui

---

1. **Le conseil :** assemblée réunissant l'empereur et ses plus proches vassaux qui lui doivent, selon le lien féodal, assistance et conseil en cas de problème.
2. **Vautres :** chiens dressés pour la chasse aux ours et aux sangliers.
3. **Autours :** voir note 3, page 21.
4. **Prîtes :** verbe « prendre » au passé simple.

ne parlerait pas pour votre bien ! Quand le roi Marsile vous fait dire que, mains jointes, il deviendra votre homme, et qu'il tiendra toute l'Espagne comme un don de votre grâce, et qu'il deviendra 130 chrétien comme nous, l'homme qui vous conseille de rejeter un tel accord, peu lui importe, sire, de quelle mort nous mourrons. Un conseil d'orgueil ne doit pas l'emporter. Laissons les fous, tenons-nous aux sages ! »

16. Alors Naimes s'avança ; il n'y avait en la cour nul meilleur 135 vassal[1]. Il dit au roi : « Vous l'avez bien entendue, la réponse que vous fit Ganelon ; elle a du sens, il n'y a qu'à la suivre. Le roi Marsile est vaincu dans sa guerre : tous ses châteaux, vous les lui avez enlevés ; de vos pierrières[2] vous avez brisé ses murailles ; vous avez brûlé ses cités, vaincu ses hommes. Aujourd'hui qu'il 140 vous demande de lui faire grâce, continuer le combat serait un péché. Puisqu'il veut vous donner en garantie des otages, cette grande guerre ne doit pas continuer. » Les Français disent : « Le duc a bien parlé ! »

17. « Seigneurs barons, qui enverrons-nous, à Saragosse, vers le 145 roi Marsile ? » Le duc Naimes répond : « J'irai, avec votre permission : donnez-moi sans attendre le gant et le bâton[3]. » Le roi dit : « Vous êtes homme de grand conseil ; par ma barbe, vous ne vous éloignerez pas de moi de sitôt. Retournez vous asseoir, car personne ne vous a rien demandé ! »

150 **18.** « Seigneurs barons, qui pourrons-nous envoyer au Sarrasin qui tient Saragosse ? » Roland répond : « Je peux très bien y aller. – Vous n'irez certes pas », dit le comte Olivier. « Votre cœur est violent et orgueilleux, vous en viendriez aux mains, j'en ai peur. Si le roi veut, je peux très bien y aller. » Le roi répond : « Tous deux, 155 taisez-vous ! Ni vous ni lui n'irez là-bas. Par cette barbe que vous

1. **Vassal :** un vassal est un noble gentilhomme attaché à un seigneur qui lui a donné une terre.
2. **Pierrières :** voir note 1, p. 23.
3. **Le gant et le bâton :** ces deux objets symbolisent la main et le sceptre de Charlemagne. Le messager de l'empereur montrera ainsi qu'il est le représentant officiel de l'empereur, chargé de négocier avec Marsile en son nom.

voyez toute blanche, malheur à qui me nommerait l'un des douze pairs[1] ! » Les Français se taisent, réduits au silence.

19. Turpin de Reims s'est levé, sort du rang, et dit au roi : « Laissez en repos vos Francs ! En ce pays vous êtes resté sept ans : 160 ils y ont beaucoup enduré de peines, beaucoup de souffrances. Mais donnez-moi, sire, le bâton et le gant, et j'irai vers le Sarrasin d'Espagne : je vais voir un peu comment il est fait. » L'empereur répond, irrité : « Allez vous rasseoir sur ce tapis blanc ! N'en parlez plus, si je ne vous l'ordonne ! »

165 **20.** « Francs chevaliers, dit l'empereur Charles, élisez-moi un baron de ma terre, qui puisse porter à Marsile mon message. » Roland dit : « Ce sera Ganelon, mon parâtre[2]. » Les Français disent : « Certes il est homme à le faire ; si vous l'écartez, vous n'en trouverez pas de plus sage. » Et le comte Ganelon en est pénétré d'angoisse. Il ôte 170 de son cou ses grandes peaux de martre[3] ; il reste en sa tunique de soie. Il a les yeux vairs[4], le visage très fier ; son corps est noble, sa poitrine large : il est si beau que tous ses pairs le contemplent. Il dit à Roland : « Fou ! quelle rage te prend soudain ? Je suis ton parâtre, chacun le sait, et pourtant voici que tu m'as désigné pour aller 175 vers Marsile. Si Dieu veut que je revienne de là-bas, tu subiras mes représailles aussi longtemps que tu vivras ! » Roland répond : « Ce sont propos d'orgueil et de folie. On le sait bien, peu m'importent les menaces ; mais pour transmettre le message de Charles il faut un homme sage ; si le roi veut, je suis prêt : je le ferai à votre place. »

180 **21.** Ganelon répond : « Tu n'iras pas à ma place ! Tu n'es pas mon vassal, je ne suis pas ton seigneur. Charles ordonne que je fasse son service[5] : j'irai à Saragosse, vers Marsile ; mais avant que je

---

1. **L'un des douze pairs :** les douze pairs sont les vassaux les plus valeureux et les plus indispensables qui entourent Charlemagne. Roland et Olivier en font partie. L'émir Marsile, lui aussi, est entouré de douze pairs.
2. **Mon parâtre :** Ganelon a épousé la sœur de Charlemagne, mère de Roland. Il est donc le beau-père (parâtre) de Roland, comme dans les familles recomposées de notre époque.
3. **Martre :** fourrure précieuse.
4. **Yeux vairs :** yeux dont la couleur oscille sans cesse entre le gris et le bleu.
5. **Que je fasse son service :** dans la société féodale, le vassal doit servir les intérêts de son seigneur et se mettre à son entière disposition en cas de besoin.

calme la colère où tu me vois, je t'aurai joué un mauvais tour à ma façon. » Quand Roland l'entend, il se met à rire.

185 **22.** Quand Ganelon voit que Roland rit de lui, il en est si offensé qu'il pense éclater de rage ; il en perd pratiquement la raison. Et il dit au comte[1] : « Je ne vous aime pas, vous qui avez fait tourner sur moi ce choix déplacé. Juste empereur, me voici devant vous : je veux accomplir votre commandement. »

190 **23.** « J'irai à Saragosse ! Il le faut, je le sais bien. Celui qui va là-bas ne peut pas en revenir. Surtout, rappelez-vous que j'ai pour femme votre sœur. J'ai d'elle un fils, le plus beau qui soit. C'est Baudoin, qui sera un preux. C'est à lui que je lègue mes terres et mes fiefs. Prenez-le bien sous votre garde, je ne le reverrai pas 195 de mes yeux. » Charles répond : « Vous avez le cœur trop tendre. Puisque je l'ordonne, il vous faut aller. »

24. Le roi dit : « Ganelon, approchez et recevez le bâton et le gant. Vous l'avez bien entendu : les Francs vous ont choisi.

– Sire, dit Ganelon, c'est Roland qui a tout fait ! Je ne l'aimerai de 200 ma vie, ni Olivier, parce qu'il est son compagnon. Les douze pairs, parce qu'ils l'aiment tant, je les défie, sire, ici, devant vous ! » Le roi dit : « Vous avez trop de colère. Vous irez certes, puisque je le commande. »

– Je peux y aller, mais sans défenseur ou protecteur, tout comme 205 Basile et son frère Basant[2]. »

25. L'empereur lui tend son gant, celui de sa main droite. Mais le comte Ganelon aurait bien voulu n'être pas là. Comme il allait le prendre, le gant tomba par terre. Les Français disent : « Dieu ! quel signe est-ce là ? De ce message nous viendra une catastrophe[3].

210 – Seigneurs, dit Ganelon, vous en entendrez de mes nouvelles ! »

26. « Sire, dit Ganelon, donnez-moi votre congé[4]. Puisqu'il faut que je m'en aille, je n'ai que faire de m'attarder davantage. » Et le

---

1. **Comte :** il s'agit de Roland.
2. **Tout comme Basile et son frère Basant :** Marsile avait tué ces deux ambassadeurs de Charlemagne. Voir laisse 14, p. 24.
3. **Catastrophe :** le fait que le gant – symbole de la main de Charlemagne – soit tombé par terre présage une trahison. Voir note 3, p. 25.
4. **Donnez-moi votre congé :** donnez-moi l'autorisation de partir.

roi dit : « Allez, au nom de Jésus et de moi-même ! » De sa main droite il lui donne sa bénédiction et fait sur lui le signe de la croix.
215 Puis il lui remet le bâton et le bref[1].

27. Le comte Ganelon s'en va à son campement. Il se pare des équipements les meilleurs qu'il peut trouver. À ses pieds il a fixé des éperons d'or, il ceint autour de sa taille Murgleis, son épée. Il monte sur Tachebrun, son cheval de bataille ; son oncle,
220 Guinemer, lui a tenu l'étrier. Là vous auriez pu voir de nombreux chevaliers pleurer, qui tous lui disent : « Quel dommage pour vous, un homme si preux ! En la cour du roi vous fûtes un long temps, et l'on vous y tenait pour un noble vassal. Celui qui vous désigna pour aller là-bas, Charles lui-même ne pourra le protéger ni le sau-
225 ver. Non, le comte Roland n'aurait pas dû songer à vous : vous êtes issu d'une parenté trop noble pour ce genre de mission. » Puis ils lui disent : « Sire, emmenez-nous ! » Ganelon répond : « Ne plaise au Seigneur Dieu ! Mieux vaut que je meure seul et que vivent tant de bons chevaliers. En douce France, seigneurs, vous rentrerez. De
230 ma part saluez ma femme, et Pinabel, mon ami et mon pair, et Baudoin, mon fils… Donnez-lui votre aide et considérez-le comme votre seigneur. » Il se met en route et avance sur son chemin.

---

1. **Bref** : court message adressé à Marsile et dans lequel Charlemagne pose ses conditions.

Clefs d'analyse

Action et personnages

1. Quelles informations-clés nous donnent les laisses 1 et 2 sur Charlemagne et Marsile : examinez la personnalité et la situation militaire des deux souverains.
2. « Quel malheur » (laisse 2) accable Marsile ? Quelle solution propose Blancandrin ? À quoi serviront le « charroi », les otages et les branches d'olivier dans la négociation avec Charlemagne ?
3. En vous fondant sur le portrait présenté dans la laisse 8, présentez les traits essentiels de l'empereur.
4. Expliquez la bonne humeur de Charlemagne dans la laisse 8. Que suggère la scène du verger ?
5. Sur quel fait se fonde Roland pour s'opposer à l'offre de soumission de Marsile ? Quels arguments lui opposent Ganelon (laisse 15) puis Naimes (laisse 16) ?
6. Interprétez l'attitude et les gestes de Charlemagne : « tient la tête baissée... lisse sa barbe, arrange sa moustache » (laisse 15).
7. Qui se propose spontanément pour l'ambassade ? Pourquoi Charlemagne refuse-t-il d'envoyer ces volontaires pour négocier ?
8. Qui est Roland ? Quels traits de sa personnalité ses interventions et les commentaires qu'elles suscitent font-ils apparaître ?
9. Expliquez la colère de Ganelon en citant une phrase de la laisse 23. Comment interprétez-vous sa décision d'aller dans le camp ennemi « sans défenseur ou protecteur » ? Dans quelle humeur part-il ? Citez le texte.
10. Que symbolise l'incident du gant de Charlemagne qui tombe par terre au moment où Ganelon doit s'en saisir ?

Langue

11. « Le roi Charles, notre empereur » (ligne 1) : que suggère l'emploi du possessif « notre » sur l'identité de l'auteur (ou du conteur) ?
12. Quels sentiments traduit l'expression « douce France » ? Quelle image de la France s'en dégage ?
13. Relevez le vocabulaire religieux et organisez-le en deux catégories : nommez les deux religions qui s'opposent. Laquelle des deux veut s'imposer à l'autre ?

Genre ou thèmes

14. « Cet infidèle ne pourra pas empêcher le malheur de l'atteindre » (laisse 1)... » Ganelon y vint, qui fit la trahison »... « Alors commence le conseil d'où devait naître un grand malheur » (laisse 12) : comment ces phrases nourrissent-elles le suspense ? Qui parle ici ?
15. Relevez les éléments de pittoresque dans la composition du « charroi ». Qu'apprenons-nous sur le monde des Sarrasins ?
16. Comparez le « conseil » tel qu'on le pratique dans le camp de Marsile et dans le camp de Charlemagne : qui le dirige ? Qui y participe ? Selon quel cérémonial ? Quel est son but ? Qui prend la décision finale ?

Écriture

17. En vous aidant des éléments présentés dans cet épisode, brossez un portrait de Charlemagne. Servez-vous notamment du point de vue des Sarrasins sur l'illustre empereur.

Pour aller plus loin

18. Présentez un exposé sur le pacte féodal (lien du suzerain avec ses vassaux) dans la société du Moyen Âge. Vous trouverez vos sources sur Internet ou dans un livre d'histoire.

À retenir

La chanson de geste met en scène des grands personnages dans des situations dramatiques de portée historique. Les premières laisses de *La Chanson de Roland* évoquent la guerre victorieuse de Charlemagne dans l'Espagne occupée par les Sarrasins. La conquête des terres s'accompagne d'un projet religieux : les chrétiens veulent convaincre les musulmans d'embrasser leur foi ; ce sont deux cultures et deux religions qui s'affrontent.

Épisode II : La trahison de Ganelon et la désignation de Roland à l'arrière-garde[1] de l'armée française.

28. Ganelon chevauche sous de hauts oliviers. Il a rejoint les messagers sarrasins. Or voici que Blancandrin[2] s'attarde à ses côtés : tous deux conversent par grande ruse. Blancandrin dit : « C'est un homme merveilleux[3] que Charles ! Il a conquis la Pouille et toute la Calabre[4] ; il a passé la mer salée[5] et gagné à saint Pierre le tribut[6] de l'Angleterre : que vient-il encore chercher ici, dans notre pays ? » Ganelon répond : « Tel est son bon plaisir. Jamais homme ne le vaudra. »

29. Blancandrin dit : « Les Francs sont gens très nobles. Mais ils font grand mal à leur seigneur, ces ducs et ces comtes qui le conseillent comme ils font : ils l'épuisent et le perdent, lui et d'autres avec lui. » Ganelon répond : « Ce n'est vrai, que je sache, de personne, sinon de Roland, lequel, un jour, en subira les conséquences » [...]

30. Blancandrin dit : « Roland est bien digne de haine, lui qui veut réduire à sa merci toutes les nations et qui a des prétentions sur toutes les terres ! Pour tant faire, sur qui donc compte-t-il ? » Ganelon répond : « Sur les Français ! Ils l'aiment tant qu'ils le soutiendront toujours. Il leur donne à profusion or et argent, mulets et chevaux de bataille, draps de soie, armures. À l'empereur même il donne tout ce qu'il veut : il lui conquerra les terres d'ici jusqu'en Orient. »

31. Tant chevauchèrent Ganelon et Blancandrin qu'ils se sont fait une promesse : ils chercheront comment faire tuer Roland.

---

1. **Arrière-garde :** troupe de soldats qui ferment la marche derrière l'armée.
2. **Blancandrin :** le messager des Sarrasins qui a transmis la fausse capitulation de l'émir à Charlemagne.
3. **Merveilleux :** extraordinaire, hors du commun.
4. **La Pouille et toute la Calabre :** régions du sud de l'Italie.
5. **La mer salée :** la Méditerranée.
6. **Tribut :** contribution (sorte d'impôt) payée par un pays à un autre en signe de soumission et de dépendance. Allusion au denier de Saint-Pierre, que l'Angleterre payait à l'Église de Rome.

25 Tant chevauchèrent-ils par voies et par chemins qu'à Saragosse ils mettent pied à terre, sous un if[1]. À l'ombre d'un pin un trône était dressé, enveloppé de soie d'Alexandrie. Là est le roi qui tient toute l'Espagne. Autour de lui vingt mille Sarrasins. Personne ne dit mot, car tous sont impatients d'entendre les nouvelles. Voici que viennent 30 Ganelon et Blancandrin. [...]

Ganelon transmet à Marsile le message de Charlemagne. Furieux et humilié, Marsile entre dans une grande colère. Il se retire pour discuter avec ses vassaux. Mais quand Blancandrin lui révèle que Ganelon a décidé de se ranger aux côtés des Sarrasins, Marsile se 35 radoucit et promet des cadeaux somptueux au traître.

40. Marsile dit : « Ganelon, sachez-le, en vérité, j'ai à cœur de beaucoup vous aimer. Je veux vous entendre parler de Charlemagne. Il est très vieux, il a usé son temps ; d'après ce que je sais, il a deux cents ans passés. Il a par tant de terres mené son 40 corps, il a sur son bouclier pris tant de coups, il a réduit tant de riches rois à mendier : quand sera-t-il las de guerroyer ? » Ganelon répond : « Charles n'est pas celui que vous pensez. Nul homme ne le voit et n'apprend à le connaître sans dire : l'empereur est un preux. Je ne saurais le louer et le vanter assez : il y a plus d'honneur 45 en lui et plus de vertus que n'en diraient mes paroles. Sa grande valeur, qui pourrait la décrire ? Dieu fait rayonner de lui tant de noblesse ! Il aimerait mieux la mort que de faillir à[2] ses barons[3]. »

41. Le païen dit : « Je m'émerveille, et j'en ai bien sujet. Charlemagne est vieux et chenu ; d'après ce que je sais il a deux 50 cents ans et plus ; il a tellement épuisé son corps, il a pris tant de coups de lances et d'épieux, il a réduit à mendier tant de riches rois : quand sera-t-il fatigué de mener ses guerres ? – Jamais, dit Ganelon, tant que vivra son neveu. Il n'y a si vaillant que Roland sous la voûte du ciel. Et c'est un preux aussi qu'Olivier, son com-55 pagnon. Et les douze pairs, que Charles aime tant, forment son

---

1. **If :** arbre de la famille des pins.
2. **Faillir à :** trahir ; manquer à ses devoirs, à ses engagements.
3. **Barons :** voir note 4, p. 22.

avant-garde[1] avec vingt mille chevaliers. Charles est en sûreté, il ne craint personne au monde. »

42. Le Sarrasin dit : « Je m'émerveille grandement. Charlemagne est chenu[2] et blanc : d'après ce que je sais il a deux cents ans et plus ; par tant de terres il a passé en les conquérant, il a pris tant de coups de bonnes lances tranchantes, il a tué et vaincu en bataille tant de riches rois : quand sera-t-il enfin fatigué de guerroyer ? – Jamais, dit Ganelon, tant que Roland vivra. Il n'y a personne de si vaillant que lui d'ici jusqu'en Orient. Il est très preux aussi, son compagnon Olivier. Et les douze pairs, que Charles aime tant, forment son avant-garde avec vingt mille Français. Charles est en sûreté ; il ne craint homme vivant. »

43. « Beau sire Ganelon, dit le roi Marsile, j'ai une armée, jamais vous ne verrez plus belle ; je peux y réunir quatre cent mille chevaliers : puis-je combattre Charles et les Français ? » Ganelon répond : « Pas de sitôt ! Vous y perdriez de vos païens en masse. Laissez la folie ; tenez-vous en à la sagesse ! Donnez à l'empereur tant de vos biens qu'il n'y ait Français qui ne s'en émerveille. Il suffit que vous lui envoyiez vingt otages et vers douce France le roi repartira. Derrière lui il laissera son arrière-garde. Son neveu en sera, je crois, le comte Roland, et aussi Olivier, le preux et le courtois[3] : si vous me faites confiance, les deux comtes sont morts. Charles verra son grand orgueil s'effondrer ; l'envie lui passera de jamais guerroyer contre vous. »

44. « Beau sire Ganelon, [...] comment pourrai-je faire périr Roland ? » Ganelon répond : « Je sais bien vous le dire. Le roi viendra aux meilleurs ports de Cize[4] : derrière lui il aura laissé son arrière-garde. Son neveu en fera partie, le puissant comte Roland,

---

1. **Avant-garde :** troupe de soldats qui ouvrent la marche à l'armée (contrairement à l'arrière-garde, qui la ferme).
2. **Chenu :** voir note 7, p. 23.
3. **Courtois :** noble, généreux et honnête, pourvu de toutes les qualités liées à la « courtoisie », idéal de la culture du Moyen Âge à partir du XIIe siècle.
4. **Ports de Cize :** col de Roncevaux, dans les Pyrénées, tout près de la frontière française. Un port est un col, un défilé, c'est-à-dire un passage étroit entre deux montagnes.

et Olivier aussi, en qui il a tellement confiance, et en leur compagnie vingt mille Français. De vos païens envoyez-leur cent mille, et qu'ils leur livrent une première bataille. L'armée de France y sera meurtrie et écrasée, et il y aura aussi, je ne dis pas, grande tuerie des vôtres. Mais livrez-leur de même une seconde bataille : qu'il tombe dans l'une ou dans l'autre, Roland n'en réchappera pas. Alors vous aurez accompli une belle chevalerie[1], et de toute votre vie vous n'aurez plus la guerre. »

45. « Si quelqu'un pouvait arriver à tuer Roland, il priverait Charlemagne du bras droit de son corps. Fini alors, les armées invincibles ! Charles n'assemblerait plus de si grandes troupes : la Terre des aïeux[2] resterait en repos ! » Quand Marsile l'entend, il l'embrasse au cou ; puis il se met à découvrir ses trésors.

46. Marsile dit [...] : « Un accord ne vaut guère, si [...] Vous me jurerez de trahir Roland. » Ganelon répond : « Qu'il en soit comme il vous plaît ! » Sur les reliques de son épée Murgleis[3], il jura la trahison ; et voilà son forfait accompli.

47. Il y avait là un siège, tout d'ivoire[4]. Marsile fait apporter un livre : la loi de Mahomet et de Tervagant[5] y est écrite. Il jure, le Sarrasin d'Espagne, que, s'il trouve Roland à l'arrière-garde, il combattra avec toute son armée, et, s'il peut, Roland mourra là. Ganelon répond : « Puisse votre volonté s'accomplir ! »

48. Alors vint un païen, Valdabron. Il s'approche du roi Marsile. En riant clair il dit à Ganelon : « Prenez mon épée, nul n'en a de meilleure ; la garde[6], à elle seule, vaut plus de mille écus d'or. Par amitié, beau sire, je vous la donne, et vous nous aiderez en sorte que nous puissions trouver à l'arrière-garde le preux Roland.

---

1. **Une belle chevalerie :** un bel exploit.
2. **La Terre des aïeux :** la France.
3. **Sur les reliques de son épée Murgleis :** l'épée de Ganelon est sacrée, car elle contient des éléments ayant appartenu à des saints (des reliques).
4. **Ivoire :** matériau très précieux dont sont faites les défenses d'éléphants.
5. **La loi de Mahomet et de Tervagant :** le Prophète Mahomet et le dieu Tervagant sont vénérés par les Sarrasins.
6. **Garde :** partie de l'épée située entre la lame et la poignée, destinée à protéger la main.

– Ce sera fait », répond le comte Ganelon. Puis ils s'embrassèrent au visage et au menton. [...]

Comme prix de sa trahison, Ganelon reçoit de Marsile des cadeaux somptueux. De retour auprès de Charlemagne, le traître accom- 115 *plit son plan : il affirme que Marsile a accepté les conditions des Français (« Je vous apporte les clefs de Saragosse, les voici ; et voici un grand trésor que je vous amène, et vingt otages »). Le roi reconnaissant promet à Ganelon une grande récompense. Puis les Francs lèvent le camp et partent en direction de la France : la guerre est* 120 *finie. Pourtant le roi a des soupçons et des rêves effrayants troublent son sommeil...*

58. Toute la nuit passe, l'aube se lève claire. Parmi les rangs de l'armée, [...] l'empereur chevauche fièrement. « Seigneurs barons, dit l'empereur Charles, voyez les défilés[1] et les étroits passages : 125 choisissez-moi qui fera l'arrière-garde. » Ganelon répond : « Ce sera Roland, mon fillâtre : vous n'avez aucun baron d'aussi grande vaillance. » Le roi l'entend, le regarde durement. Puis il lui dit : « Vous êtes un démon. Une rage mortelle vous est entrée dans le corps. Et qui donc fera devant moi l'avant-garde ? » Ganelon 130 répond : « Ogier de Danemark ; aucun de vos barons ne peut s'en charger mieux que lui. »

59. Le comte Roland s'est entendu nommer. Alors il parla comme un chevalier doit le faire : « Sire parâtre, j'ai bien des raisons de vous chérir : vous m'avez élu pour l'arrière-garde ! Charles, le roi 135 qui gouverne la France, n'y perdra, je crois, ni cheval de promenade, ni cheval de bataille, ni mulet ni mule sur lequel il doive chevaucher ; il n'y perdra ni cheval de selle ni cheval de somme à moins qu'on ne l'ait d'abord disputé à coups d'épée. » Ganelon répond : « Vous dites vrai, je le sais bien. »

140 **60.** Quand Roland entend qu'il sera à l'arrière-garde, il dit, irrité, à son parâtre : « Ah ! misérable, méchant homme de basse origine, pensais-tu que j'allais laisser tomber le gant par terre, comme toi le bâton[2], devant Charles ? »

---

1. **Défilés :** cols. Voir note 4, p. 33.
2. **Laisser tomber le gant par terre, comme toi le bâton :** c'est le gant que, dans la laisse 25, p. 27, Ganelon a, en fait, laissé tomber. Voir note 3, p. 25.

61. « Juste empereur, dit Roland le baron, donnez-moi l'arc que vous tenez au poing[1]. Nul ne me reprochera, je crois, de l'avoir laissé tomber, comme fit Ganelon du bâton qu'il avait reçu dans sa main droite. » L'empereur tient la tête baissée. Il lisse sa barbe, tord sa moustache. Il ne peut se retenir de pleurer.

62. Alors vint Naimes : il n'y a pas de meilleur vassal dans toute la cour. Il dit au roi : « Vous l'avez entendu, le comte Roland est rempli de colère. Le voilà désigné pour l'arrière-garde : vous n'avez pas un seul baron qui s'en charge à sa place. Donnez-lui l'arc que vous avez tendu, et trouvez-lui des barons qui puissent l'aider efficacement ! » Le roi lui donne l'arc et Roland le reçoit.

63. L'empereur dit à son neveu Roland : « Beau sire neveu, vous le savez bien, c'est la moitié de mes armées que je vous offre et vous laisserai. Gardez ces troupes avec vous, c'est votre salut. » Le comte dit : « Je n'en ferai rien. Devant Dieu, jamais je ne faillirai à mon lignage[2] ! Je garderai avec moi vingt mille Français bien vaillants. En toute assurance passez les défilés. Vous auriez tort de craindre qui que ce soit, moi vivant. »

64. Le comte Roland est monté sur son cheval de bataille. Vers lui vient son compagnon, Olivier. Gérin vient et le preux comte Gérier, et Oton vient et Bérengier vient, et Astor vient, et Anseïs le fier, et Gérard de Roussillon le vieux, et le riche duc Gaifier est venu. L'archevêque dit : « Par mon chef, j'irai ! – Et moi avec vous, dit le comte Gautier. Je suis homme de Roland, je ne dois pas lui faillir. » Ils choisissent entre eux vingt mille chevaliers. [...]

67. Les douze pairs sont restés en Espagne ; en leur compagnie, vingt mille Français, tous sans peur et qui ne craignent pas la mort. L'empereur s'en retourne en France ; sous son manteau il cache son angoisse. Auprès de lui le duc Naimes chevauche, qui lui dit : « Qu'est-ce donc qui vous tourmente ? » Charles répond : « Quiconque le demande m'offense. Ma douleur est si grande que je ne puis la taire. Par Ganelon la France sera détruite. Cette

---

1. **L'arc que vous tenez au poing :** comme le gant et le bâton, l'arc symbolise la mission dont Charlemagne charge officiellement Roland.
2. **Lignage :** race, au sens de « famille » ; lignée, parenté, ensemble des ancêtres, des aïeux.

nuit une vision me vint, apportée par un ange : entre mes poings, Ganelon brisait ma lance, et voici qu'il a désigné mon neveu pour l'arrière-garde. Je l'ai laissé dans une province étrangère. Dieu ! si je le perds, jamais je ne retrouverai son semblable. »

180 **68.** Charlemagne pleure, il ne peut s'en empêcher. Cent mille Français s'attendrissent sur lui et tremblent pour Roland, remplis d'une étrange peur. Ganelon le félon[1] l'a trahi : il a reçu du roi païen de grands dons, or et argent, ciclatons[2] et draps de soie, mulets et chevaux, et chameaux et lions. Or Marsile a fait appeler 185 par l'Espagne les barons, comtes, vicomtes et ducs et almaçours, les amirafles et les fils des comtor[3]. Il en rassemble en trois jours quatre cent mille, et dans tout Saragosse fait retentir ses tambours. On dresse sur la plus haute tour Mahomet[4], et chaque païen le prie et l'adore. Puis, à marches forcées, par la Terre certaine[5], tous che-190 vauchent, passent les vallées, passent les monts : enfin ils ont vu les gonfanons[6] de ceux de France. L'arrière-garde des douze compagnons ne manquera pas d'accepter le combat.

---

1. **Félon :** traître, homme déloyal. Terme très déshonorant.
2. **Ciclatons :** tuniques en soie, de très grand prix.
3. **Almaçours, les amirafles et les fils des comtors :** titres de la hiérarchie féodale des Sarrasins équivalant aux princes, aux émirs et aux nobles. Tous sont des dignitaires, c'est-à-dire des personnages importants qui vont se rassembler au service de Marsile pour tendre un guet-apens à Roland.
4. **On dresse sur la plus haute tour Mahomet :** bizarrerie du texte, car l'islam n'autorise pas la représentation de Mahomet.
5. **La Terre certaine :** peut-être « terre ferme », par opposition à la mer ; ou bien « terre sur laquelle on peut avancer sans crainte ».
6. **Gonfanons :** drapeaux attachés en haut des lances.

Clefs d'analyse

Épisode II

Action et personnages

1. Comment Blancandrin exploite-t-il habilement les sentiments de Ganelon envers Roland ? Quel projet commun décident-ils ? Quels sont les motivations de l'un et de l'autre ?
2. Relevez, dans les paroles de Ganelon, des marques d'admiration et de respect pour Charlemagne. Comment de tels sentiments sont-ils compatibles avec le projet de trahir ?
3. Quels serments Ganelon et Marsile échangent-ils ? Comment ces engagements prennent-ils une valeur sacrée ?
4. Quel argument Ganelon avance-t-il pour faire nommer Roland à l'arrière-garde ? En quoi est-il très habile ? Expliquez la réaction sévère du roi, puis son émotion.
5. Pourquoi Roland refuse-t-il que Charlemagne lui laisse la moitié de ses armées à l'arrière-garde ? Quel trait de caractère affiche-t-il à travers ce refus ?
6. Combien d'hommes composeront l'arrière-garde ? Face à combien de païens ? Que laissent prévoir ces chiffres si disproportionnés ?
7. Comment s'exprime l'angoisse du roi (laisse 67) ? Expliquez pourquoi il ne change pas ses plans en dépit de ses appréhensions.

Langue

8. Expliquez la phrase : « si quelqu'un pouvait arriver à tuer Roland, il priverait Charlemagne du bras droit de son corps » (laisse 45).
9. Où est l'ironie dans la phrase : « j'ai bien des raisons de vous chérir : vous m'avez élu pour l'arrière-garde ! » (laisse 59) ?
10. Sur quelles qualités les adjectifs associés aux noms des pairs dans la laisse 64 insistent-ils ? Que nous apprennent-ils sur la société médiévale ?

Genre ou thèmes

11. Quelles similitudes présentent les laisses 40, 41, 42 ? Quels éléments nouveaux s'ajoutent de l'une à l'autre ? À quoi servent les redites selon vous ?

12. Quelle réaction éveille chez le lecteur le chiffre colossal des « quatre cent mille chevaliers » (laisse 43) ?
13. « Je suis homme de Roland, je ne dois pas lui faillir » : quel idéal cette phrase du comte Gautier exprime-t-elle ?
14. Interprétez le rêve de Charlemagne (laisse 67) : pourquoi peut-on parler d'un rêve prémonitoire ?

Écriture

15. Continuez l'évocation des préparatifs de guerre chez les Sarrasins (laisse 68) : vous imaginerez la sélection, par Marsile, de ses meilleurs chevaliers, puis vous raconterez le rassemblement « en trois ou quatre jours des quatre cent mille combattants païens » en insistant sur leur enthousiasme guerrier et sur leur puissance en nombre.

Pour aller plus loin

16. En vous aidant d'Internet ou d'un dictionnaire, donnez le sens exact des termes « Sarrasins », « païens » et « infidèles ».

✱ *À retenir*

Le « conseil » est une institution fondamentale de la société féodale. Elle consiste pour le seigneur à prendre l'avis de ses plus proches vassaux avant d'arrêter une décision grave.
Le vassal a l'obligation, selon le pacte féodal, de participer à cette consultation. Ici, le conseil qui aboutit à la désignation de Roland comme chef de l'arrière-garde de Charlemagne fait écho à celui où Roland a proposé Ganelon comme ambassadeur auprès de Marsile.

Deuxième partie
La bataille de Roncevaux

Épisode III : Quatre cent mille Sarrasins contre vingt mille Français. Roland refuse d'appeler Charlemagne à l'aide.

69. Le neveu de Marsile, sur un mulet qu'il tape d'un bâton, s'est avancé. Il dit à son oncle, en riant bellement : « Beau sire roi, je vous ai si longuement servi ; j'ai reçu pour tout salaire des peines et des tourments ! J'ai livré et gagné tant de batailles ! Accordez-moi une faveur : le don de frapper contre Roland le premier coup ! Je le tuerai de mon épieu tranchant. Avec la protection de Mahomet, je libérerai toutes les contrées de l'Espagne, depuis les ports d'Espagne jusqu'à Durestant. Charles sera las, les Français se rendront ; vous n'aurez plus de guerre de toute votre vie. » Le roi Marsile lui donne son gant.

70. Le neveu de Marsile tient le gant dans son poing. Il dit à son oncle une parole fière : « Beau sire roi, vous m'avez fait un grand don. Sélectionnez pour moi douze de vos barons ; avec eux je combattrai les douze pairs. » Le tout premier, Falseron, qui était frère du roi Marsile, répond : « Beau sire neveu, nous irons, vous et moi ; certes, nous la livrerons, cette bataille, à l'arrière-garde de la grande armée de Charles. C'est décidé : nous les tuerons ! »

71. Vient d'autre part le roi Corsalis. Il est de Barbarie et s'y connaît en maléfices. Il parle en vrai baron : pour tout l'or de Dieu il ne voudrait se conduire en lâche. Mais voici que vient au galop Malprimis de Brigant : à la course à pied, il est plus rapide qu'un cheval. Devant Marsile il s'écrie à voix très haute : « Je vais me rendre à Roncevaux. Si j'y trouve Roland, je saurai le mater. »

72. Un émir est là ; il vient de Balaguer. Son corps est très beau, sa face hardie et claire. Une fois en selle sur son cheval, il affiche sa fierté de porter les armes. Son courage est bien connu : il serait un fameux baron, s'il était chrétien ! Devant Marsile, il s'est écrié :

« À Roncevaux, j'irai risquer ma vie. Si j'y trouve Roland, il est mort, et morts Olivier et tous les douze pairs, et morts tous les Français, dans
30 la douleur et dans la honte. Charles le Grand est vieux, il radote ; il en aura assez de mener sa guerre ; alors l'Espagne nous restera, en toute paix. » Le roi Marsile lui adresse maints remerciements.

73. Un émir est là, il vient de Moriane : il n'y a pas plus félon sur la terre d'Espagne. Devant Marsile il se vante : « À Roncevaux je
35 conduirai mes troupes, vingt mille hommes, portant écus[1] et lances. Si je trouve Roland, il est mort, je lui en fais la promesse : il ne se passera pas un jour sans que Charles ne s'en désespère. »

74. D'autre part, voici Turgis de Tortelose : il est comte et la cité de Tortelose est à lui. Aux chrétiens il ne souhaite que du
40 mal. Il se range devant Marsile près des autres et dit au roi : « Ne craignez rien ! Mahomet vaut mieux que saint Pierre de Rome : si vous le servez, l'honneur du champ de bataille nous reviendra. À Roncevaux j'irai rejoindre Roland : personne ne le garantira contre la mort. Voyez mon épée, qui est bonne et longue. Contre
45 Durendal je veux l'essayer. Laquelle aura le dessus ? Vous l'entendrez bien dire. Les Français périront, s'ils s'aventurent contre nous. Charles le Vieux en éprouvera douleur et honte. Jamais plus sur terre il ne portera sa couronne. »

75. D'autre part voici Escremiz de Valterne. C'est un Sarrasin
50 et Valterne est sa terre. Devant Marsile il s'écrie dans la foule : « À Roncevaux j'irai, pour abattre l'orgueil des Français. Si j'y trouve Roland, il ne sauvera pas sa tête, ni Olivier, qui commande les autres. Les douze pairs sont condamnés à périr. Les Français mourront, la France en sera vidée. Et Charles manquera cruelle-
55 ment de bons vassaux. » [...]

Sûrs d'eux, tous les païens jurent à Marsile de réduire à néant l'arrière-garde de Charlemagne...

79. Les païens s'arment de hauberts[2] sarrasins, presque tous à triple épaisseur de mailles, lacent leurs très bons heaumes[3] de

---

1. **Écus :** boucliers.
2. **Hauberts :** un haubert est une longue tunique en mailles de métal.
3. **Heaumes :** un heaume est un casque de métal, en forme de cône, composé d'une pièce en métal protégeant le visage. Il se lace de façon à recouvrir la nuque.

60 Saragosse, ceignent des épées d'acier viennois. Ils ont de riches écus, des épieux de Valence et des gonfanons blancs et bleus et vermeils. Ils ont laissé mulets et palefrois[1], ils montent sur les chevaux de bataille et avancent en rangs serrés. Clair est le jour et beau le soleil : pas une armure qui toute ne flamboie. Mille clairons son-65 nent, pour que ce soit plus beau. Le bruit est grand : les Français l'entendirent. Olivier dit : « Sire compagnon, il se peut, je crois, que nous ayons affaire aux Sarrasins. » Roland répond : « Ah ! que Dieu nous l'accorde ! Nous devons tenir ici, pour notre roi. Pour son seigneur on doit souffrir toute détresse, et endurer les grands chauds 70 et les grands froids, et perdre du cuir et du poil. Que chacun veille à donner de grands coups, afin qu'on ne chante pas de nous une mauvaise chanson ! Le tort est aux païens, aux chrétiens le droit. Jamais on ne dira rien de moi qui ne soit exemplaire. »

80. Olivier est monté sur une hauteur. Il regarde à droite 75 vers une vallée verte : il voit venir l'armée des païens. Il appelle Roland, son compagnon : « Du côté de l'Espagne, je vois venir une telle rumeur, tant de hauberts qui brillent, tant de heaumes qui flamboient ! Ceux-là mettront nos Français en grande angoisse. Ganelon le savait, le félon, le traître, qui devant l'empereur nous 80 désigna. – Tais-toi, Olivier, répond Roland, il est mon parâtre ; je ne veux pas que tu dises quoi que ce soit sur lui ! »

81. Olivier est monté sur une hauteur. Il voit à plein le royaume d'Espagne et les Sarrasins, qui sont assemblés en si grande masse. Les heaumes aux pierres précieuses serties d'or[2] brillent, et les écus, 85 et les hauberts brodés de fil couleur safran[3], et les épieux[4] et les gonfanons fixés aux hampes[5]. Il ne peut dénombrer même les corps de bataille : ils sont si nombreux qu'il ne peut les compter. Au-dedans de lui-même il en est grandement troublé. Le plus vite qu'il peut, il dévale de la hauteur, vient aux Français, leur raconte tout.

---

1. **Palefrois :** chevaux de promenade, par opposition aux chevaux de combat, les « destriers ».
2. **Pierres précieuses serties d'or :** pierres précieuses enchâssées (incrustées) dans une monture en or.
3. **Safran :** jaune.
4. **Épieux :** lances, faites d'un manche en bois et d'une pointe en fer.
5. **Hampes :** la hampe est le bois qui porte un drapeau.

82. Olivier dit : « J'ai vu les païens. Jamais homme sur terre n'en vit en si grand nombre. Devant nous ils sont bien cent mille, l'écu au bras, le heaume lacé, le blanc haubert revêtu ; et leurs épieux bruns luisent, hampe dressée. Vous aurez une bataille telle qu'il n'en fut jamais. Seigneurs français, que Dieu vous donne sa force ! Tenez fermement, pour que nous ne soyons pas vaincus ! » Les Français disent : « Maudit soit celui qui s'enfuit ! Nous sommes tous prêts à mourir pour vous. »

83. Olivier dit : « Les païens sont très forts ; et nos Français, ce me semble, sont bien peu. Roland, mon compagnon, sonnez donc votre cor : Charles l'entendra, et l'armée reviendra. » Roland répond : « Ce serait faire comme un fou. En douce France j'y perdrais mon renom. Sur-le-champ je frapperai de Durendal de grands coups. Sa lame saignera jusqu'à l'or de la garde. Les félons païens sont venus dans les défilés pour leur malheur. Je vous le jure, tous sont marqués pour la mort. »

84. « Roland, mon compagnon, sonnez l'olifant[1] ! Charles l'entendra, ramènera l'armée ; il nous secourra avec tous ses barons. » Roland répond : « Ne plaise à Dieu que pour moi mes parents soient blâmés et que douce France tombe dans le déshonneur ! Mais je frapperai de Durendal de toutes mes forces, ma bonne épée que je porte au côté ! Vous en verrez la lame tout ensanglantée. Les félons païens se sont assemblés pour leur malheur. Je vous le jure, ils sont tous livrés à la mort. »

85. « Roland, mon compagnon, sonnez votre olifant ! Charles l'entendra, qui est en train de passer les cols en direction de la France. Je vous le jure, les Français reviendront. – Ne plaise à Dieu, lui répond Roland, qu'il soit jamais dit par nul homme vivant que pour des païens j'aie sonné mon cor ! Jamais ma descendance n'en subira le reproche. Quand je serai en la grande bataille, je frapperai mille et sept cents coups, et vous verrez l'acier de Durendal sanglant. Les Français sont hardis et frapperont vaillamment ; ceux d'Espagne n'échapperont pas à la mort. »

86. Olivier dit : « Pourquoi vous blâmerait-on ? J'ai vu les Sarrasins d'Espagne : les vallées et les monts en sont couverts et les

---

1. **Olifant :** cor en ivoire en forme de corne.

collines et toutes les plaines. Grandes sont les armées de ces étrangers et bien petite notre troupe ! » Roland répond : « Mon ardeur s'en accroît. Ne plaise au Seigneur Dieu ni à ses anges qu'à cause de moi la France perde son honneur ! J'aime mieux mourir que tomber dans la honte ! Mieux nous frappons, mieux l'empereur nous aime. »

87. Roland est preux et Olivier est sage. Tous deux sont de courage merveilleux. Une fois à cheval et en armes, jamais par peur de la mort ils n'esquiveront une bataille. Les deux comtes sont bons et leurs paroles sont nobles. Les païens félons chevauchent pleins de fureur. Olivier dit : « Roland, voyez : ils sont très nombreux. Ils sont près de nous, mais Charles est trop loin ! Votre olifant, vous n'avez pas daigné le sonner. Si le roi était là, nous ne serions pas en péril. Regardez en amont vers les cols d'Espagne ; vous pourrez voir une troupe digne de pitié : celui qui aura fait aujourd'hui l'arrière-garde ne la fera plus jamais. » Roland répond : « Ne parlez pas si follement ! Maudit soit le cœur qui dans la poitrine cède à la lâcheté ! Nous tiendrons fermement sur place. C'est nous qui donnerons les coups et qui engagerons les combats. »

88. Quand Roland voit qu'il y aura bataille, il se fait plus fier qu'un lion ou un léopard. Il appelle les Français et Olivier : « Sire compagnon, ami, ne parlez plus ainsi ! L'empereur, qui nous laissa des Français, a trié nos vingt mille compagnons : il savait que pas un n'est un lâche. Pour son seigneur on doit souffrir de grands maux et endurer les grands chauds et les grands froids, et on doit perdre du sang et de la chair. Frappe de ta lance, et moi de Durendal, ma bonne épée, que me donna le roi. Si je meurs, celui qui l'aura pourra dire : "Ce fut l'épée d'un noble vassal." »

89. D'autre part voici l'archevêque[1] Turpin. Il éperonne son cheval et monte la pente d'une colline. Il appelle les Français et les sermonne : « Seigneurs barons, Charles nous a laissés ici : pour notre roi nous devons bien mourir. Aidez à soutenir la chrétienté ! Vous aurez une bataille, vous en êtes bien sûrs, car de vos yeux vous voyez les Sarrasins. Confessez vos péchés, demandez pardon

---

1. **Archevêque :** représentant de Dieu sur terre.

à Dieu ; je vous absoudrai pour sauver vos âmes[1]. Si vous mourez,
160 vous serez de saints martyrs[2], vous aurez des sièges au plus haut paradis. » Les Français descendent de cheval, se prosternent contre terre, et l'archevêque, au nom de Dieu, les a bénis. Pour pénitence[3], il leur ordonne de frapper l'ennemi.

90. Les Français se redressent et se mettent sur pieds. Ils sont
165 bien absous[4], délivrés de leurs péchés, et l'archevêque, au nom de Dieu, les a bénis. Puis ils sont remontés sur leurs chevaux de bataille pleins d'ardeur. Ils sont armés comme il convient à des chevaliers, et tous bien équipés pour la bataille. Le comte Roland appelle Olivier : « Sire compagnon, vous disiez juste, Ganelon nous
170 a tous trahis. Il en a pris pour son salaire de l'or, des richesses, de l'argent. Puisse l'empereur nous venger ! Le roi Marsile a conclu un marché ; mais la marchandise, il ne l'aura que par l'épée ! » [...]

Roland encourage ses compagnons et leur promet la victoire.

92. Olivier dit : « Je n'ai pas le cœur aux paroles. Votre olifant,
175 vous n'avez pas daigné le sonner, et de Charles, vous n'aurez aucun secours. Il ignore tout de notre situation, ce preux, et la faute n'est pas sienne, et nos vaillants compagnons que voici ne méritent, eux non plus, aucun blâme[5]. Or donc, chevauchez contre ceux-là de tout votre courage ! Seigneurs barons, soyez fermes dans la
180 bataille ! Je vous en prie pour Dieu, soyez résolus à bien frapper, coup rendu pour coup reçu ! Et n'oublions pas le cri de guerre de Charles. » À ces mots les Français poussent le cri de guerre. Quiconque aurait pu les entendre crier : « Montjoie ! » aurait le souvenir d'une belle vaillance. Puis ils chevauchent, Dieu ! si fière-
185 ment, et, pour aller au plus vite, enfoncent les éperons, et s'en vont frapper, qu'ont-ils à faire d'autre ? et les Sarrasins les reçoivent sans trembler. Francs et païens, les voilà face à face. [...]

---

1. **Je vous absoudrai pour sauver vos âmes :** l'archevêque peut pardonner les péchés pour sauver l'âme des chrétiens.
2. **Vous serez de saints martyrs :** les chevaliers mourront au service de Dieu.
3. **Pour pénitence :** en guise de pénitence ; la pénitence est l'action destinée à racheter ses fautes, à se faire pardonner ses péchés.
4. **Absous :** pardonnés.
5. **Blâme :** reproche.

La bataille s'engage, d'une violence inouïe...

105. Le comte Roland chevauche par le champ de bataille. Il tient Durendal, qui tranche bien et taille bien. Des Sarrasins il fait grand carnage. Si vous aviez vu comme il jette le mort sur le mort, et le sang clair s'étaler par flaques ! Il en a ensanglanté son haubert, et ses deux bras et son bon cheval, de l'encolure jusqu'aux épaules. Et Olivier n'est pas en reste, ni les douze pairs, ni les Français, qui frappent à coups redoublés. Les païens meurent, d'autres perdent connaissance. L'archevêque dit : « Honneur à nos barons ! Montjoie ! » crie-t-il, c'est le cri de guerre de Charles.

[...]

109. La bataille s'est faite plus acharnée. Francs et païens frappent des coups merveilleux. L'un attaque, l'autre se défend. Tant de lances brisées et sanglantes ! Tant de gonfanons arrachés et tant d'enseignes[1] ! Tant de bons Français qui perdent leur jeunesse ! Ils ne verront plus leurs mères ni leurs femmes, ni ceux de France qui aux cols les attendent. Charles le Grand en pleure et se lamente ; mais à quoi sert sa plainte ? Ils n'auront pas son secours. Ganelon l'a servi odieusement, le jour où il s'en fut à Saragosse trahir ses fidèles compagnons. Pour l'avoir fait, il perdit la vie et les membres par jugement à Aix, où il fut condamné à être pendu ; avec lui trente de ses parents subirent le même sort : ils n'attendaient pas cette mort[2].

110. La bataille est extraordinaire et pesante. Roland y frappe bien, et Olivier ; et l'archevêque y rend plus de mille coups et les douze pairs ne sont pas en reste, ni les Français, qui frappent tous ensemble. Par centaines et par milliers, les païens meurent. Qui ne s'enfuit ne trouve nul refuge ; bon gré mal gré, il y laisse sa vie. Les Français y perdent leurs meilleurs soutiens. Ils ne reverront plus leurs pères ni leurs parents, ni Charlemagne qui les attend aux cols. En France s'élève une tourmente étrange, un orage chargé de tonnerre et de vent, de pluie et de grêle, démesurément. La foudre tombe à coups serrés et pressés, la terre tremble. De Saint-Michel-

1. **Enseignes :** drapeaux.
2. **Pour l'avoir fait [...] cette mort :** allusion au procès de Ganelon, raconté dans l'épisode IX, à partir de la laisse 270, p. 88.

du-Péril jusqu'aux Saints, de Besançon jusqu'au port de Wissant, il n'y a maison dont un mur ne crève. En plein midi, il y a de grandes ténèbres ; aucune clarté, sauf quand le ciel se fend d'un éclair. Nul ne le voit qui ne s'épouvante. Plusieurs disent : « C'est la fin des temps, la fin du monde que voilà venues. » Ils ne savent pas qu'ils ne disent pas vrai : c'est le grand deuil qui annonce la mort de Roland.

[…]

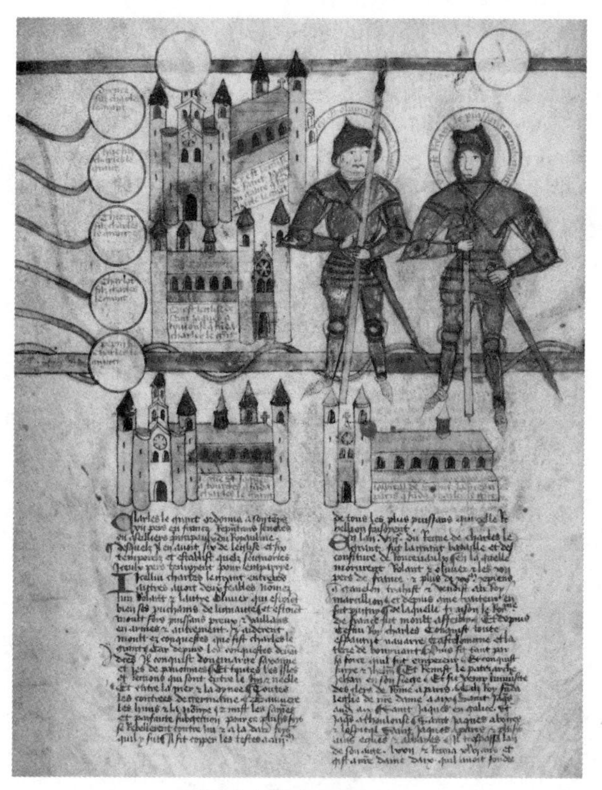

Roland et Olivier en armes.
Miniature (XVe siècle).

Clefs d'analyse

Action et personnages

1. Comment expliquez-vous le refus de Roland d'entendre les critiques d'Olivier sur Ganelon (laisse 80) ? Pourquoi un peu plus tard se rallie-t-il à l'opinion de son ami (laisse 90) ?
2. Étudiez les laisses 80 à 82 : sur quel aspect de l'armée païenne Olivier insiste-t-il ? Pourquoi ?
3. Pour quelles raisons Olivier suggère-t-il à Roland de sonner du cor ? Relevez les arguments qu'il développe pour venir à bout du refus de Roland (laisses 83 à 86).
4. Quelles objections successives Roland oppose-t-il aux arguments d'Olivier ? Finalement, qui a le dernier mot ? Pourquoi ?
5. Pourquoi, dans la laisse 87, Olivier renonce-t-il à convaincre Roland ?
6. Que révèlent Olivier et Roland de leur personnalité et de leur relation à travers leur débat ? Répondez à cette question à la lumière de la phrase : « Roland est preux et Olivier est sage » (laisse 87).
7. Qui est l'archevêque Turpin ? Pourquoi ses paroles et son action sont-elles essentielles avant le combat (laisse 89) ?
8. Laisses 105, 109 et 110 : comment se comportent les Français dans les premiers affrontements ?

Langue

9. Sur quel aspect de l'ennemi insiste l'expression « les païens félons » (laisse 87) ?
10. Relevez les traits de réalisme dans la description du combat (laisses 105 et 109) : que cherchent-ils à mettre en valeur ?

Genre ou thèmes

11. Quelle réaction veut éveiller le poète en présentant un à un les pairs de l'armée sarrasine (laisses 69 à 75) ?

12. Relevez et commentez, dans les laisses 79, 88 et 89, les phrases qui expliquent la notion du « service » que tout vassal doit à son seigneur.
13. « Aidez à soutenir la chrétienté » (laisse 89) : dans quel esprit se place le combat des Français ?
14. Que symbolise la tempête qui s'élève en France (laisse 110) ?
15. Relevez les commentaires du poète dans les laisses 105, 109 et 110. Quel dénouement annoncent-ils ? Quelles émotions cherchent-ils à éveiller chez l'auditoire ?

Écriture

16. Mettez par écrit les réflexions que vous inspire cette phrase de Roland : « Le tort est au païens, aux chrétiens le droit » (laisse 79). Prenez soin de justifier votre point de vue en les fondant sur des arguments et des exemples.

Pour aller plus loin

17. L'épée légendaire de Roland s'appelle « Durendal ». Trouvez le nom de la fameuse épée du roi Arthur dans les romans de la Table ronde.

✱ *À retenir*

Dans la chanson de geste, le récit s'interrompt fréquemment pour laisser parler le poète ou le jongleur en son propre nom. Dans les laisses 109 et 110, cette voix se fait entendre pour souligner la tragédie des Français, pour signaler l'inutilité des larmes que verse Charlemagne, et pour commenter la trahison de Ganelon. Elle anticipe également, sous la forme d'une annonce, le sort qui sera réservé au félon.

Roland sonne du cor auprès de son cheval blessé.
Miniature (XIIIe siècle).

Épisode IV : Roland sonne du cor. Le martyre[1] des Français.

128. Le comte Roland voit le grand massacre des siens. Il appelle Olivier, son compagnon : « Beau seigneur, cher compagnon, par Dieu ! qu'en pensez-vous ? Voyez tant de vaillants qui gisent là contre terre ! Nous avons bien sujet de plaindre douce France, la belle ! Vidée de tels barons, comme elle reste déserte ! Ah ! roi, ami, que n'êtes-vous ici ? Olivier, frère, comment pourrons-nous faire ? Comment lui enverrons-nous des nouvelles ? » Olivier dit : « Comment ? Je ne sais pas. Mais je préfère mourir que subir la honte d'un appel au secours ! »

129. Roland dit : « Je sonnerai l'olifant. Charles l'entendra, il est en train de franchir les cols. Je vous le jure, les Francs reviendront. » Olivier dit : « Ce serait pour tous vos parents un grand déshonneur et une indignité ; et cette honte resterait sur eux toute leur vie ! Quand je vous ai demandé de le faire, vous n'en fîtes rien. Faites-le maintenant : ce ne sera plus par mon conseil. Sonner votre cor, ce ne serait pas agir en brave ! Mais comme vos deux bras sont sanglants ! » Le comte répond : « C'est parce que j'ai frappé de beaux coups. »

130. Roland dit : « Notre bataille est dure ! Je sonnerai mon cor, le roi Charles l'entendra. » Olivier dit : « Ce ne serait pas l'acte d'un preux ! Quand je vous disais de le faire, compagnon, vous avez refusé. Si le roi avait été avec nous, nous aurions évité ce désastre. Ceux qui gisent là ne méritent aucun blâme. Par ma barbe, si je peux revoir ma sœur Aude[2], vous ne coucherez jamais entre ses bras ! »

131. Roland dit : « Pourquoi, contre moi, de la colère ? » Et Olivier répond : « Compagnon, c'est votre faute, car vaillance sensée et folie sont deux choses, et mesure[3] vaut mieux que témérité[4]. Si les Français sont morts, c'est à cause de votre légèreté. Jamais plus

1. **Martyre :** chez les chrétiens, souffrance mortelle supportée grâce à la foi et pour la cause de la religion.
2. **Aude :** la sœur d'Olivier est fiancée à Roland.
3. **Mesure :** prudence.
4. **Témérité :** imprudence.

nous ne ferons le service[1] de Charles. Si vous m'aviez cru, mon
30 seigneur[2] serait revenu ; cette bataille nous l'aurions gagnée ; le roi Marsile aurait été tué ou pris. Votre prouesse, Roland, c'est pour notre malheur que nous l'avons vue. Charles le Grand – jamais il n'y aura un tel homme jusqu'au jugement dernier[3] ! – ne recevra plus notre aide. Vous allez mourir et la France en sera déshonorée.
35 Aujourd'hui prend fin notre loyal compagnonnage : avant ce soir nous nous séparerons, et ce sera dur. »

132. L'archevêque les entend qui se querellent. Il éperonne son cheval de ses éperons d'or pur, vient jusqu'à eux, et les reprend tous deux : « Sire Roland, et vous, sire Olivier, je vous en prie au nom
40 de Dieu, ne vous querellez point ! Sonner du cor ne nous sauverait plus. Et pourtant, sonnez, ce sera bien mieux. Que le roi vienne, il pourra nous venger : il ne faut pas que ceux d'Espagne s'en retournent joyeux. Nos Français descendront ici de cheval ; ils nous trouveront tués et taillés en pièces ; ils mettront nos corps dans des
45 cercueils, nous emporteront sur des chevaux et nous pleureront, pleins de douleur et de pitié. Ils nous enterreront sous des porches d'églises ; nous ne serons pas mangés par les loups, les porcs et les chiens. » Roland répond : « Seigneur, vous avez bien parlé. »

133. Roland a mis l'olifant à ses lèvres. Il le place bien dans sa bouche,
50 sonne à pleine force. Hauts sont les monts, et longue la voix du cor ; à trente grandes lieues on l'entend qui se prolonge. Charles l'entend et ainsi que tous ses corps de troupe. Le roi dit : « Nos hommes livrent bataille ! » Et Ganelon lui répond aussitôt : « Si quelqu'un d'autre disait cela, on penserait que c'est un mensonge. »

55 **134.** Le comte Roland, à grand effort, à grand peine, très douloureusement, sonne son olifant. Par sa bouche le sang jaillit clair. Sa tempe se rompt. La voix de son cor se répand au loin. Charles l'entend, au passage des cols. Le duc Naimes écoute, les Francs écoutent. Le roi dit : « C'est le cor de Roland ! Il n'en sonnerait pas s'il ne livrait
60 une bataille. » Ganelon répond : « Il n'y a pas de bataille ! Vous

---

1. **Service :** dans la société féodale, le vassal doit servir les intérêts de son seigneur et se mettre à son entière disposition en cas de besoin.
2. **Mon seigneur :** il s'agit, bien sûr, de Charlemagne.
3. **Jugement dernier :** jugement de Dieu sur l'action des hommes, à la fin des temps.

êtes vieux, vos cheveux sont blancs tout comme votre barbe ; par de telles paroles vous semblez un enfant. Vous connaissez bien le grand orgueil de Roland : c'est incroyable que Dieu l'ait supporté si longtemps. N'a-t-il pas été jusqu'à prendre Noples sans votre ordre 65 [...] Aujourd'hui, c'est quelque jeu qu'il fait devant ses pairs. Qui donc sous le ciel oserait lui offrir la bataille ? Chevauchez donc ! Pourquoi vous arrêter ? La Terre des aïeux[1] est encore loin là-bas devant nous. »

135. Le comte Roland a la bouche sanglante. Sa tempe s'est rom- 70 pue. Il sonne l'olifant douloureusement, avec angoisse. Charles l'entend, et ses Français l'entendent. Le roi dit : « Ce cor a longue haleine ! » Le duc Naimes répond : « C'est que le baron y met toute son énergie. Il livre bataille, j'en suis sûr. Celui-là même l'a trahi qui maintenant vous demande de ne pas répondre à son appel. 75 Armez-vous, criez votre cri d'armes et secourez votre noble maison[2]. Vous l'entendez assez : c'est Roland qui désespère. »

136. L'empereur a fait sonner ses cors. Les Français mettent pied à terre et s'arment de hauberts, de heaumes et d'épées parées[3] d'or. Ils ont des écus remarquablement ouvragés[4], de forts et grands 80 épieux, des gonfanons blancs, vermeils[5] et bleus. Tous les barons de l'armée montent sur leurs chevaux de bataille. Ils piquent de l'éperon[6] tout le long des défilés[7]. Pas un qui ne dise à l'autre : « Si nous revoyons Roland encore vivant, avec lui nous frapperons de grands coups ! » À quoi bon les paroles ? Ils ont trop tardé.

85 **137.** Le jour avance, la soirée brille. Sous le soleil les armures resplendissent. Hauberts et heaumes flamboient, et les écus où sont peintes des fleurs, et les épieux et les gonfanons dorés. L'empereur chevauche, très irrité, et avec lui les Français pleins de chagrin et

---

1. **La Terre des aïeux :** la France.
2. **Maison :** l'entourage, la famille et les troupes françaises que gouverne Charlemagne.
3. **Parées :** décorées.
4. **Ouvragés :** décorés et précieux.
5. **Vermeils :** rouges.
6. **Ils piquent de l'éperon :** ils piquent leurs chevaux de leurs éperons afin de les faire accélérer.
7. **Défilés :** voir note 4, p. 33.

de colère. Pas un qui ne pleure douloureusement ; pour Roland, tous sont remplis d'angoisse. Le roi a fait saisir le comte Ganelon. Il l'a remis aux cuisiniers de sa maison. Il appelle Besgon, leur chef : « Garde-le-moi bien, comme on doit faire d'un félon pareil : il a livré ma maison par traîtrise. » Besgon le reçoit en sa garde, et met après lui cent garçons de la cuisine, des meilleurs et des pires. Ils lui arrachent les poils de la barbe et des moustaches, le frappent chacun par quatre fois du poing, le battent à coups de triques et de bâtons et lui mettent au cou une chaîne comme à un ours. Honteusement ils le hissent sur une bête de somme[1]. Ainsi le gardent-ils jusqu'au jour où ils le rendront à Charles.

138. Hauts sont les monts, et ténébreux et grands, profondes les vallées, et agités les torrents. À l'arrière, à l'avant, les clairons sonnent et tous ensemble répondent à l'olifant. L'empereur chevauche irrité, et les Français pleins de colère et de chagrin. Pas un qui ne pleure et ne se lamente. Ils prient Dieu qu'il préserve Roland jusqu'à ce qu'ils parviennent au champ de bataille, tous ensemble : alors, tous avec lui, ils frapperont. Mais à quoi bon les prières ? Elles ne leur servent à rien. Ils tardent trop, ils ne peuvent arriver à temps.

139. Plein de colère, le roi Charles chevauche. Sur sa brogne[2] s'étale sa barbe blanche. Tous les barons de France éperonnent vivement leurs chevaux. Pas un qui ne se lamente de n'être pas aux côtés de Roland le chef, quand il combat les Sarrasins d'Espagne. Il est si mal en point qu'il n'y survivra pas, je crois. Dieu ! quels barons, les soixante qui restent en sa compagnie ! Jamais roi ni chef d'armée n'en eut de meilleurs.

140. Roland regarde les monts et les collines. De ceux de France, il en voit tant qui gisent morts, et il les pleure en noble chevalier : « Seigneurs barons, que Dieu ait pitié de vous ! Qu'il accorde à toutes vos âmes le paradis ! Qu'il les couche parmi les saintes fleurs ! Jamais je ne vis vassaux meilleurs que vous. Vous m'avez servi depuis si longtemps et en toutes circonstances, vous avez

---

1. **Bête de somme :** mauvais cheval, ce qui est très déshonorant pour Ganelon qui est un chevalier.
2. **Brogne :** une brogne est une cuirasse ; partie de la cotte de maille qui protège la poitrine.

conquis pour Charles de si grands pays ! C'est pour son malheur que l'empereur vous a nourris[1]. Terre de France, vous êtes un doux pays ; en ce jour la pire catastrophe vous a anéantie ! Barons français, je vous vois mourir pour moi, et je ne puis vous défendre ni 125 vous sauver : que Dieu vous aide, lui qui jamais ne mentit ! Olivier, frère, je ne dois pas manquer à mes devoirs envers vous. Je mourrai de douleur, si rien d'autre ne me tue. Sire compagnon, remettons-nous à frapper ! »

141. Le comte Roland est retourné à la bataille. Il tient Durendal[2] : 130 il frappe en vaillant. Il a taillé en pièces Faldrun de Pui et vingt-quatre autres combattants ennemis, des plus glorieux. Jamais homme ne désirera tant se venger. Comme le cerf devant les chiens, ainsi devant Roland les païens fuient.

[...]

135 *Marsile abat plusieurs compagnons de Roland et Roland, dans un bref combat singulier, lui tranche le poing droit avant de tuer son fils. Devant un tel déchaînement, Marsile prend la fuite, mais son oncle, Marganice, reste sur le champ de bataille, avec ses cinquante mille combattants.*

140 **143.** [...] Alors Roland dit : « Ici nous recevrons le martyre, et je sais bien maintenant que nous n'avons plus guère à vivre. Mais honte à celui qui, parmi nous, n'aura pas d'abord vendu très cher sa vie ! Frappez, seigneurs, des épées étincelantes, et disputez et vos morts et vos vies afin que douce France ne soit pas déshono- 145 rée par nous ! Quand en ce champ viendra Charles, mon seigneur, et qu'il verra quelle justice nous aurons faite des Sarrasins, et que, pour un des nôtres, il trouvera quinze morts païens, il ne manquera pas, certes, de nous bénir. »

144. Quand Roland voit la race maudite, qui est plus noire que 150 l'encre et qui n'a rien de blanc que les dents, il dit : « Je le sais maintenant, en vérité, c'est aujourd'hui que nous mourrons. Frappez, Français, car je recommence ! » Olivier dit : « Maudit soit le plus lent ! » À ces mots les Français foncent dans la masse des ennemis.

---

1. **Vous a nourris :** Charlemagne a formé les barons au métier des armes ; il les a pour ainsi dire élevés.
2. **Durendal :** fameuse épée de Roland.

Clefs d'analyse

Épisode IV

Action et personnages

1. Que nous apprend la première phrase de la laisse 128 ? Combien de combattants restent dans l'arrière-garde (laisse 139) ?
2. Relevez les interrogations de Roland dans la laisse 128. Que traduisent-elles ? expliquez l'évolution du héros.
3. En vous appuyant sur les mots « honte », « déshonneur » et « indignité » (laisses 128 et 129), expliquez la résistance d'Olivier à sonner du cor. Comment interprétez-vous son refus ?
4. « si je peux revoir ma sœur Aude, vous ne coucherez jamais entre ses bras » (laisse 130) : quel sentiment exprime ici Olivier ?
5. Quels reproches Olivier adresse-t-il à son ami (laisse 131) ? Quelles graves accusations porte-t-il contre Roland ? Partagez-vous son point de vue ? Pourquoi ?
6. Analysez le raisonnement de Turpin. Quelle issue voit-il pour l'arrière-garde dont il fait partie ?
7. Pourquoi finalement Roland sonne-t-il du cor ? Dans quel état physique est-il ? Quels sentiments éveille sur l'auditoire cet appel au secours du héros ?
8. Comment Charlemagne et son entourage reçoivent-ils cet appel ?
9. Qui décide l'empereur à rebrousser chemin ? Quelle explication donne Ganelon ? Relevez, dans les paroles du traître, des considérations très irrespectueuses (laisse 134).
10. Expliquez l'angoisse et la désolation des preux français : que comprennent-ils désormais ? Pourquoi rebroussent-ils chemin avec tant de hâte ? Qu'espèrent-ils (laisses 136 et 138) ?
11. Dans quel esprit le dernier assaut est-il donné ?

Langue

12. Justifiez l'emploi du mot « martyre » (laisse 143). À quel vocabulaire appartient-il ?
13. Expliquez la comparaison : « comme le cerf devant les chiens, ainsi devant Roland les païens fuient ». Que met-elle en valeur ?

Genre ou thèmes

14. Relevez les traits de réalisme dans les laisses 129, 132, 134, 135.

15. Quelle image de l'armée française donnent les descriptions des laisses 136 et 137 ? Quels sentiments veut éveiller le poète ? Quelles informations donne-t-il sur l'armée de Charlemagne ?
16. Le sort réservé à Ganelon : quels détails montrent le mépris dont il est l'objet ? Que pensez-vous du traitement qui lui est réservé ?
17. Relevez les paroles pessimistes du poète annonçant le retour de Charlemagne en Espagne pour secourir Roland. Comment peuvent-elles influencer le public ?
18. Quels sentiments exprime Roland dans la laisse 140 : pourquoi ses paroles sont-elles particulièrement pathétiques ?
19. Quelle image est donnée de l'ennemi sarrasin dans la laisse 144 ? Quelle est l'intention du poète ?

Écriture

20. Racontez le combat singulier qui met face à face Roland et Marsile. Comme le poète, vous adopterez un registre réaliste, sans oublier de faire parler les deux adversaires dans un dialogue guerrier qui affichera leurs sentiments respectifs.

Pour aller plus loin

21. Trouvez une carte de la France à l'époque de Charlemagne. Où se situe Roncevaux ?

* À retenir

Le réalisme dans les scènes de bataille est caractéristique de la chanson de geste : le poète montre les blessures des héros pour inspirer à l'auditoire des émotions fortes. Dans *La Chanson de Roland*, les détails réalistes abondent : l'archevêque Turpin anticipe en des termes très concrets la mort prochaine des derniers Français ; Olivier remarque les bras sanglants de Roland ; le sang du héros coule à flots. Par ces images brutales, le poète cherche à éveiller la terreur et la compassion du public.

Épisode V : La mort d'Olivier et de l'archevêque Turpin.

145. Quand les païens voient que les Français sont peu nombreux, ils s'enorgueillissent entre eux et se réconfortent. Ils se disent l'un à l'autre : « C'est parce que l'empereur a tort ! » Le Marganice[1] monte un cheval de couleur fauve[2]. Il l'éperonne fortement des éperons dorés, frappe Olivier par-derrière, en plein dos. Le choc contre le corps a fendu le haubert brillant ; l'épieu traverse la poitrine et ressort. Puis il dit : « Vous avez pris un rude coup ! Charles, le roi Magne[3], vous laissa dans les cols pour votre malheur. S'il nous a fait du mal, il n'a pas sujet de s'en féliciter : car, rien que sur vous, j'ai bien vengé les nôtres. »

146. Olivier sent qu'il est frappé à mort. Il tient Hauteclaire[4], dont l'acier est bruni. Il frappe Marganice sur son heaume tout doré et pointu. Il en fait jaillir les fleurons[5] et les cristaux[6] jusqu'à terre, lui fend la tête jusqu'aux dents de devant. Il secoue sa lame dans la plaie et l'abat mort. Il dit ensuite : « Païen, maudit sois-tu ! » [...] Puis il appelle Roland à l'aide.

147. Olivier sent qu'il est blessé à mort. Jamais il ne se vengera assez. Au plus épais de la masse, il frappe en vrai baron. Il taille en pièces épieux et boucliers, les pieds et les poings, les selles, les flancs des chevaux. Qui l'aurait vu démembrer les païens, jeter le mort sur le mort, pourrait se souvenir d'un bon chevalier. Le cri de guerre de Charles, il n'a garde de l'oublier : « Montjoie ! » crie-t-il, haut et clair. Il appelle Roland, son pair et son ami : « Sire compagnon, venez vers moi, tout près ; en grande douleur, en ce jour, nous serons séparés. »

---

1. **Le Marganice :** l'oncle de Marsile, resté sur le champ de bataille avec une troupe de 50 000 combattants.
2. **Fauve :** jaune-brun.
3. **Charles, le roi Magne :** Charles le Grand, Charlemagne (*magnus* signifie « grand » en latin).
4. **Hauteclaire :** la fameuse épée d'Olivier.
5. **Fleurons :** ornements en forme de fleurs.
6. **Cristaux :** pierres précieuses.

148. Roland regarde Olivier au visage : il le voit terni, blêmi, tout pâle, décoloré. Son sang coule clair le long de son corps ; sur la terre tombent les caillots[1]. « Dieu ! dit le comte, je ne sais plus quoi faire. Sire compagnon, c'est grand pitié pour votre vaillance ! Jamais nul ne te vaudra. Ah ! France douce, comme tu resteras aujourd'hui dépeuplée de bons vassaux, humiliée et déchue[2] ! L'empereur en aura grand dommage. » À ces mots, sur son cheval il s'évanouit.

149. Voilà sur son cheval Roland évanoui, et Olivier qui est blessé à mort. Il a tant saigné que ses yeux se sont troublés : il n'y voit plus assez clair pour reconnaître, de loin ou de près, homme qui vive. Au moment où il rencontre son compagnon, il le frappe sur son heaume couvert d'or et de pierres précieuses, qu'il fend tout jusqu'au nasal[3] ; mais il n'a pas atteint la tête. À ce coup Roland l'a regardé et lui demande doucement, avec douceur et tendresse : « Sire compagnon, le faites-vous exprès ? C'est moi, Roland, celui qui vous aime tant ! Vous ne m'avez porté aucun défi[4] ! » Olivier dit : « Maintenant j'entends votre voix. Je ne vous vois pas ; que notre Seigneur Dieu vous voie ! Je vous ai frappé, pardonnez-le-moi. » Roland répond : « Je n'ai aucun mal. Je vous pardonne, ici et devant Dieu. » À ces mots, l'un vers l'autre ils s'inclinèrent. C'est ainsi, avec beaucoup d'amour, qu'ils se sont séparés.

150. Olivier sent que la mort le saisit. Les deux yeux lui tournent dans la tête, il perd l'ouïe et tout à fait la vue. Il descend à pied, se couche contre terre. À haute voix il se confesse, les deux mains jointes et levées vers le ciel, et prie Dieu qu'il lui donne le paradis et qu'il bénisse Charles et douce France et, par-dessus tous les hommes, Roland, son compagnon. Le cœur lui manque, son heaume retombe, tout son corps s'affaisse contre terre. Le comte est mort, il n'est pas demeuré vivant plus longtemps ; le preux Roland le pleure et gémit. Jamais vous n'entendrez sur terre un homme plus désespéré.

---

1. **Caillots :** petites masses de sang épaissi.
2. **Déchue :** abaissée, qui a perdu son prestige.
3. **Nasal :** partie du heaume qui protège le nez.
4. **Vous ne m'avez porté aucun défi :** l'usage veut qu'avant d'attaquer, un chevalier défie son adversaire.

151. Roland voit que son ami est mort, et qu'il est étendu, la face contre terre. Très doucement il lui fait ses adieux : « Sire compagnon, c'est pitié de votre hardiesse ! Nous fûmes ensemble et des ans et des jours : jamais tu ne me fis de mal, jamais je ne t'en fis. Quand te voilà mort, il m'est douloureux de vivre. » À ces mots, il s'évanouit sur son cheval, qu'il nomme Veillantif. Ses étriers d'or fin le maintiennent droit en selle : par où qu'il penche, il ne peut tomber.

[...]

Quand Roland revient de son évanouissement, il s'aperçoit que, sur les 20000 Français de son arrière-garde, il n'en reste plus que trois : Roland, Gautier de l'Hum et l'archevêque Turpin.

154. Le comte Roland est un noble guerrier, Gautier de l'Hum un très bon chevalier, l'archevêque un preux[1] plein d'expérience. Pas un des trois ne veut abandonner les autres. Au plus fort de la mêlée ils frappent sur les païens. Mille Sarrasins mettent pied à terre ; à cheval, ils sont quarante mille. Voyez-les qui n'osent approcher ! De loin ils jettent contre eux lances et épieux, guivres[2] et dards[3], et des piques et des javelots... Aux premiers coups ils ont tué Gautier. À Turpin de Reims ils ont tout percé l'écu, brisé le heaume et ils l'ont blessé à la tête ; ils ont rompu et démaillé[4] son haubert, transpercé son corps de quatre épieux. Ils tuent sous lui son cheval. C'est grand deuil quand l'archevêque tombe.

155. Turpin de Reims, quand il se voit abattu de cheval, le corps percé de quatre épieux, rapidement il se redresse debout, le vaillant. Il cherche Roland du regard, court à lui, et ne dit qu'une parole : « Je ne suis pas vaincu. Un vaillant, tant qu'il vit, ne se rend pas ! » Il dégaine Almace, son épée d'acier brun ; au plus fort de la mêlée, il frappe mille coups et plus. Bientôt, Charles dira qu'il ne ménagea personne, car il trouvera autour de lui quatre cents Sarrasins, les uns blessés, d'autres transpercés de part en part et d'autres dont la tête est tranchée. Ainsi le rapporte la Geste[5]. [...]

---

1. **Preux :** voir note 8, p. 23.
2. **Guivres :** sortes de flèches.
3. **Dards :** flèches, piques.
4. **Démaillé :** défait la maille du haubert.
5. **La Geste :** l'histoire ; la chanson de geste ; voir p. 12.

156. Le comte Roland combat noblement, mais son corps est trempé de sueur et brûle ; et dans sa tête il sent un grand mal : parce
90 qu'il a sonné son cor, sa tempe s'est rompue. Mais il veut savoir si Charles viendra. Il prend l'olifant, sonne, mais faiblement. L'empereur s'arrête, écoute : « Seigneurs, dit-il, malheur à nous ! Roland, mon neveu, en ce jour, nous quitte. À la voix de son cor j'entends qu'il ne vivra plus guère. Qui veut le rejoindre, qu'il presse son cheval !
95 Sonnez vos clairons, tant qu'il y en a dans cette armée ! » Soixante mille clairons sonnent, et si haut que les monts retentissent et que répondent les vallées. Les païens l'entendent, ils se gardent d'en rire. L'un dit à l'autre : « Bientôt Charles sera sur nous. »

157. Les païens disent : « L'empereur revient : de ceux de France
100 entendez sonner les clairons. Si Charles vient, il y aura parmi nous du dommage. Si Roland survit, notre guerre recommence ; l'Espagne, notre terre, est perdue. » Alors quatre cents d'entre eux se rassemblent, de ceux qui s'estiment les meilleurs au combat ; ils portent leur heaume. Ils livrent à Roland un assaut dur et âpre. Le comte, pour sa part, a
105 bien de quoi faire.

158. Le comte Roland, quand il les voit venir, se fait plus fort, plus fier, plus ardent. Il ne leur cédera pas tant qu'il sera en vie. Il monte le cheval qu'on appelle Veillantif. Il l'éperonne bien de ses éperons d'or fin ; au plus fort de la mêlée, il va tous les
110 assaillir. Avec lui, l'archevêque Turpin. Les païens l'un à l'autre se disent : « Ami, fuyez sans attendre ! De ceux de France nous avons entendu les cors : Charles revient, le roi puissant. »

159. Le comte Roland jamais n'aima un lâche, ni un orgueilleux, ni un méchant, ni un chevalier qui ne fût bon guerrier. Il appela
115 l'archevêque Turpin : « Sire, vous êtes à pied et je suis à cheval. Pour l'amour de vous je resterai fermement en ce lieu. Ensemble nous y recevrons et le bien et le mal ; pour nul être au monde je ne vous abandonnerai. Nous allons rendre aux païens cet assaut. Les meilleurs coups sont ceux de Durendal. » L'archevêque dit :
120 « Qu'il soit appelé félon celui qui ne frappera pas farouchement ! Charles revient ; il va bien nous venger ! »

160. Les païens disent : « Nous sommes nés maudits ! Quel douloureux jour s'est levé pour nous ! Nous avons perdu nos seigneurs et nos pairs. Charles revient, le vaillant, avec sa grande armée. De

125 ceux de France, nous entendons les clairons sonner clair ; ils crient «Montjoie !» à grand bruit. Le comte Roland est de si fière hardiesse[1] que nul homme fait de chair ne le vaincra jamais. Lançons contre lui nos traits[2], puis quittons les lieux. » Et ils lancèrent contre lui des dards et des flèches sans nombre, des épieux, des 130 lances, des javelots garnis de plumes. Ils ont brisé et troué son écu, rompu et démaillé son haubert ; mais son corps, ils ne l'ont pas atteint. Pourtant, ils ont blessé Veillantif de trente blessures ; sous le comte ils l'ont abattu mort. Les païens s'enfuient, ils lui laissent le champ de bataille. Le comte Roland est resté, à pied.

135 **161.** Les païens s'enfuient, furieux et pleins de colère. Vers l'Espagne, ils se hâtent, à grand effort. Le comte Roland ne peut leur donner la chasse : il a perdu Veillantif, son cheval de bataille ; bon gré mal gré, il reste, à pied. Vers l'archevêque Turpin, il va, pour lui porter son aide.

140 [...]

Roland porte secours à l'archevêque gravement blessé. Puis il part à la recherche de ses autres compagnons.

163. Roland repart ; à nouveau il va chercher par le champ. Il retrouve son compagnon, Olivier. Contre sa poitrine il le presse, 145 étroitement embrassé. Comme il peut, il revient vers l'archevêque. Sur un écu il couche Olivier auprès des autres, et l'archevêque l'a absous et signé du signe de la croix. Alors redoublent la douleur et la pitié. Et Roland dit : « Olivier, cher compagnon, vous étiez fils du duc Renier, qui tenait la frontière du Val de Runers. Pour 150 rompre une lance et pour briser des écus, pour vaincre et abattre les orgueilleux, pour soutenir et conseiller les braves [...], en nulle terre il n'y eut de chevalier meilleur que vous ! »

164. Le comte Roland, quand il voit ses pairs morts, et Olivier qu'il aimait tant, s'attendrit : il se met à pleurer. Son visage a perdu 155 sa couleur. Si grand est son deuil, il ne peut plus rester debout ; qu'il le veuille ou non, il tombe à terre, évanoui. L'archevêque dit : « Baron, c'est pitié de vous ! »

---

1. **Hardiesse :** courage.
2. **Traits :** flèches.

165. L'archevêque, quand il vit Roland s'évanouir, en ressentit une douleur, la plus grande douleur qu'il eût jamais ressentie. Il étendit la main : il a pris l'olifant. À Roncevaux il y a un torrent : il veut y aller, il donnera de l'eau à Roland. À petits pas, il s'éloigne, chancelant. Il est si faible qu'il ne peut avancer. Il n'en a pas la force, il a perdu trop de sang ; en moins de temps qu'il n'en faut pour traverser un seul arpent[1], le cœur lui manque, il tombe, la tête en avant. La mort l'étreint durement.

166. Le comte Roland revient de son évanouissement. Il se dresse sur ses pieds, mais il souffre d'une grande souffrance. Il regarde en aval, il regarde en amont : sur l'herbe verte, par-delà ses compagnons, il voit gisant le noble baron, l'archevêque, que Dieu avait placé en son nom parmi les hommes. L'archevêque confesse ses péchés, il a tourné ses yeux vers le ciel, il a joint ses deux mains et les élève : il prie Dieu pour qu'il lui donne le paradis. Puis il meurt, le guerrier de Charles. Par de grandes batailles et par de très beaux sermons, il fut contre les païens, toute sa vie, son champion. Que Dieu lui accorde sa sainte bénédiction !

167. Le comte Roland voit l'archevêque contre terre. Hors de son corps il voit ses entrailles qui gisent ; la cervelle dégoutte de son front. Sur sa poitrine, bien au milieu, il a croisé ses blanches mains, si belles. Roland dit sur lui ses regrets, selon la coutume de son pays[2] : « Ah ! gentil[3] seigneur, chevalier de noble origine, je te recommande à cette heure au Glorieux du ciel. Jamais nul ne fera plus volontiers son service. Jamais, depuis les apôtres, il n'y eut tel prophète[4] pour maintenir la loi de Dieu et pour y attirer les hommes. Puisse votre âme n'endurer nulle privation ! Que la porte du paradis lui soit ouverte ! »

---

1. **Arpent :** mesure de surface valant environ un demi-hectare.
2. **Dit sur lui ses regrets, selon la coutume de son pays :** conformément à l'usage en cours, le deuil s'accompagne d'une plainte sentimentale dans laquelle le survivant exprime ses regrets tout en évoquant la valeur du disparu.
3. **Gentil :** noble.
4. **Prophète :** ici, homme pieux.

Clefs d'analyse

Action et personnages

1. Combien de Français survivants reste-t-il dans l'arrière-garde ? Qui meurt en premier ?
2. De quelle manière Marganice frappe-t-il Olivier ? Se conduit-il en guerrier honorable ? Dans quel état se trouve Olivier quand il tue le païen ? Cette revanche est-elle vraisemblable ?
3. Quels sentiments traduisent les paroles de Marganice et de Roland au moment de leur duel (laisses 145-146) ?
4. Par quels signes physiques s'annonce la mort d'Olivier ? À partir de quel point de vue les blessures du héros sont-elles évoquées ? Que suggère la réaction de Roland (laisse 148) ?
5. Pourquoi Olivier frappe-t-il Roland ? Commentez l'effet dramatique de ce coup porté par surprise (laisse 149).
6. Analysez les gestes et les paroles d'Olivier sur le point de mourir (laisse 150) : vers qui vont ses pensées ?
7. Combien de Français de l'arrière-garde reste-t-il après la mort de Gautier de l'Hum et d'Olivier ? Combien de Sarrasins leur font face ? Que souligne le poète dans la phrase : « Voyez-les qui n'osent approcher » (laisse 154) ?
8. À quel signe Charlemagne comprend-il que Roland est mourant ? Comment les Français réagissent-ils (laisse 156) ?
9. Combien de païens se rassemblent autour de Roland et Turpin pour un dernier assaut (laisse 157) ? Comment réagissent ces deux héros ?
10. Expliquez la fuite des païens (laisses 160 et 161) et imaginez la réaction de l'auditoire français.
11. Que marque la mort de l'archevêque Turpin dans la progression de l'action ? Montrez que l'archevêque, jusqu'au bout, se conduit en preux chrétien.

Langue

12. Après avoir relevé le champ lexical de la religion, vous direz ce qu'il qu'apporte dans ces scènes de violence guerrière.

Genre ou thèmes

13. Olivier mourant est-il toujours en colère contre Roland, qui, indirectement, est responsable du désastre ? Analysez l'amitié des deux héros.

14. À quoi tient le pathétique dans les scènes d'adieux ? Analysez les paroles et les gestes d'Olivier, de Roland, de Turpin.

15. « Ainsi le rapporte la Geste » : que suggère cette phrase sur le rôle du conteur ?

16. Relevez quelques exagérations, hyperboles et accumulations destinées à mettre en valeur l'héroïsme des Français. Quelles émotions ces procédés éveillent-ils chez l'auditoire ?

17. Par quels détails descriptifs le poète affiche-t-il dans les trois dernières laisses son talent de metteur en scène ?

Écriture

18. Dans une scène d'action de registre épique, racontez la mort de Gautier de l'Hum brièvement évoquée dans la laisse 154.

Pour aller plus loin

19. Trouvez, dans un récit du Moyen Âge *(Lancelot, Yvain)*, une autre scène de combat épique.

✱ *À retenir*

Dans la chanson de geste, le registre épique cherche à éveiller l'admiration du public pour les prouesses extraordinaires du héros. Fondé notamment sur l'hyperbole, l'accumulation, le superlatif, la répétition et les chiffres, il met en scène la prouesse sous une forme exagérée.Tous ces procédés d'expression sont utilisés par le poète dans cet épisode de *La Chanson de Roland* où l'on voit Olivier, Roland et Turpin affronter seuls plus de quarante mille Sarrasins.

La mort de Roland.
Miniature (XVIe siècle).

Épisode VI : La mort de Roland.

168. Roland sent que sa mort est prochaine. Par les oreilles sa cervelle se répand. Il prie Dieu pour ses pairs, afin qu'il les appelle ; puis, pour lui-même, il prie l'ange Gabriel[1]. Il prend l'olifant, pour que personne ne lui fasse reproche, et Durendal, son épée, en l'autre 5 main. Un peu plus loin qu'une portée d'arbalète[2], vers l'Espagne, il va dans un champ. Il monte sur une butte. Là, sous deux beaux arbres, il y a quatre perrons[3], faits de marbre. Sur l'herbe verte, il est tombé à la renverse. Il perd connaissance, car sa mort approche.

169. Hauts sont les monts, hauts sont les arbres. Il y a là quatre 10 perrons faits de blocs de marbre, qui luisent. Sur l'herbe verte, le comte Roland perd connaissance. Or un Sarrasin ne cesse de le guetter : il a fait semblant d'être mort et il est étendu parmi les autres, ayant souillé son corps et son visage de sang. Il se redresse debout, accourt. Il était beau et fort, et de grande vaillance ; en son 15 orgueil il fait la folie dont il mourra ; il se saisit de Roland, de son corps et de ses armes, et dit une parole : « Il est vaincu, le neveu de Charles ! Cette épée, je l'emporterai en Arabie ! » Comme il tirait, le comte reprit un peu ses esprits.

170. Roland sent qu'il lui prend son épée. Il ouvre les yeux et 20 lui dit un mot : « Tu n'es pas des nôtres, que je sache ! » Il tenait l'olifant, qu'il n'a pas voulu perdre. Il l'en frappe sur son heaume serti de pierres précieuses, orné d'or ; il brise l'acier, et le crâne, et les os, lui fait jaillir de la tête les deux yeux et devant ses pieds le renverse mort. Après il lui dit : « Païen, fils de rien, comment as-tu 25 osé te saisir de moi, à tort ou à raison ? Nul ne l'entendra dire qui ne te tienne pour un fou ! Voilà fendu le pavillon[4] de mon olifant ; l'or en est tombé, et le cristal[5]. »

---

1. **L'ange Gabriel :** messager de Dieu.
2. **Une portée d'arbalète :** distance atteinte par la flèche de l'arbalète, une sorte d'arc.
3. **Perrons :** un perron est un bloc de pierre placé près de l'entrée d'un palais pour monter à cheval ou descendre de cheval.
4. **Pavillon :** partie évasée du cor.
5. **L'or en est tombé, et le cristal :** très luxueux, l'olifant (le cor) de Roland suggère la noblesse du personnage.

171. Roland sent qu'il perd la vue. Il se met sur pieds, fait tous les efforts possibles. Son visage a perdu sa couleur. Devant lui
30 est une pierre bise[1]. Il y frappe dix coups, plein de douleur et de rage. L'acier grince, il ne se brise pas, ne s'ébrèche pas. « Ah ! dit le comte, sainte Marie, à mon aide ! Ah ! Durendal, bonne Durendal, c'est pitié de vous ! Puisque je meurs, je n'ai plus besoin de vous. Par vous j'ai gagné en rase campagne tant de batailles, et par vous
35 j'ai dompté tant de larges terres, ces terres que Charles détient, lui qui a la barbe blanche[2] ! Ne venez jamais aux mains d'un homme qui puisse fuir devant un autre ! Un bon vassal vous a longtemps tenue ; il n'y aura jamais votre pareille en France la Sainte. »

172. Roland frappe le rocher en pierre dure de sardoine[3]. L'acier
40 grince, il n'éclate pas, il ne s'ébrèche pas. Quand il voit qu'il ne peut la briser, il commence en lui-même à la plaindre : « Ah ! Durendal, comme tu es belle, et claire, et brillante ! Contre le soleil comme tu luis et flambes ! [...] Par elle je conquis tant et tant de contrées, que Charles détient, lui qui a la barbe blanche. Pour cette épée j'ai dou-
45 leur et peine. Plutôt mourir que la laisser aux païens ! Dieu, notre Père, ne permettez pas que la France subisse cette honte ! »

173. Roland frappa contre une pierre bise. Il en abat plus que je ne sais vous dire. L'épée grince, elle n'éclate pas, ne se rompt pas. Vers le ciel elle rebondit. Quand le comte voit qu'il ne la brisera
50 point, il la plaint en lui-même, très doucement : « Ah ! Durendal, que tu es belle et sainte ! Ton pommeau d'or est plein de reliques : une dent de saint Pierre, du sang de saint Basile, et des cheveux de monseigneur saint Denis, et du vêtement de sainte Marie[4]. Il n'est pas juste que des païens te possèdent : ce sont des chrétiens qui
55 doivent servir en ton nom. Puissiez-vous ne jamais tomber aux mains d'un lâche ! Par vous j'aurai conquis tant de larges terres,

---

1. **Bise :** de couleur grise.
2. **Lui qui a la barbe blanche :** la barbe et les cheveux blancs suggèrent le grand âge, l'expérience et la sagesse de Charlemagne.
3. **Sardoine :** quartz-agate d'une couleur brune dans une nuance orangée, très résistant.
4. **Ton pommeau d'or [...] sainte Marie :** un pommeau est une petite boule au bout de la poignée d'une épée. Le pommeau de Durendal contient des restes sacrés de saints.

que tient Charles, qui a la barbe blanche ! L'empereur en est puissant et riche. »

174. Roland sent que la mort le prend tout entier : de sa tête elle
60 descend vers son cœur. Jusque sous un pin il va courant ; il s'est couché sur l'herbe verte, face contre terre. Sous lui il met son épée et l'olifant. Il a tourné sa tête du côté des combattants païens : il a fait ainsi, voulant que Charles dise, et tous les siens, qu'il est mort en vainqueur, le noble comte. À faibles coups sur sa poitrine et sou-
65 vent, il bat sa coulpe[1]. Pour ses péchés il tend vers Dieu son gant[2].

175. Roland sent que son temps est fini. Il est couché sur une butte dont la pente est raide, le visage tourné vers l'Espagne. De l'une de ses mains il frappe sa poitrine : « Dieu, par ta grâce, mea culpa[3], pour mes péchés, les grands et les petits, que j'ai faits depuis
70 l'heure où je suis né jusqu'à ce jour où me voici abattu ! » Il a tendu vers Dieu son gant droit. Les anges du ciel descendent à lui.

176. Le comte Roland est couché sous un pin. Vers l'Espagne il a tourné son visage. De maintes choses sa mémoire se souvient : de tant de terres qu'il a conquises, le vaillant, de douce France, des hom-
75 mes de son lignage[4], de Charlemagne, son seigneur, qui l'a nourri. Il en pleure et soupire, il ne peut s'en empêcher. Mais il ne veut pas se mettre lui-même en oubli ; il bat sa coulpe et implore la grâce de Dieu : « Vrai Père, qui jamais ne mentis, toi qui rappelas saint Lazare d'entre les morts[5], toi qui sauvas Daniel des lions[6], sauve mon âme
80 de tous périls, pour les péchés que j'ai faits dans ma vie ! » Il a offert à Dieu son gant droit : saint Gabriel l'a pris de sa main. Sur son bras il a laissé retomber sa tête ; il est allé, les mains jointes, à sa fin. Dieu lui

---

1. **Il bat sa coulpe :** il fait aveu de ses péchés.
2. **Il tend vers Dieu son gant :** comme le veut la coutume féodale, Roland, en geste de soumission et de dévouement, tend son gant à Dieu son suzerain suprême. Il s'en remet à Dieu.
3. **Mea culpa :** expression latine qui signifie « par ma faute » ; Roland se confesse avant de mourir.
4. **Lignage :** voir note 2, p. 36.
5. **Toi qui rappelas saint Lazare d'entre les morts :** selon l'Évangile de saint Jean, Lazare a été ressuscité par le Christ.
6. **Toi qui sauvas Daniel des lions :** jeté dans une fosse aux lions, le prophète Daniel a, grâce à sa foi, repoussé l'attaque des félins affamés.

envoie son ange Chérubin[1] et saint Michel du Péril[2] ; avec eux y vint saint Gabriel. Ils emportent l'âme du comte en paradis.

177. Roland est mort ; Dieu a son âme dans les cieux. L'empereur parvient à Roncevaux. Il n'y a route ni sentier, pas un centimètre, pas le moindre petit espace de terrain où ne soit étendu un Français ou un païen. Charles s'écrie : « Où êtes-vous, cher neveu ? Où est l'archevêque ? Où, le comte Olivier ? Où est Gérin ? et Gérier, son compagnon ? Où est Oton ? et le comte Bérengier ? Ivon et Ivoire, que je chérissais tant ? Qu'est devenu le Gascon Engelier ? le duc Samson ? et le preux Anseïs ? Où est Gérard de Roussillon, le Vieux ? Où sont-ils, les douze pairs, qu'ici j'avais laissés ? » À quoi sert qu'il appelle, quand pas un ne répond ? « Dieu ! dit le roi, j'ai bien des raisons de me désoler. Que n'étais-je là au commencement de la bataille ! » Il tourmente sa barbe en homme rempli d'angoisse ; ses barons chevaliers pleurent ; contre terre, vingt mille perdent connaissance. Le duc Naimes en a grande pitié.

178. Il n'y a chevalier ni baron qui de pitié ne pleure, douloureusement. Ils pleurent leurs fils, leurs frères, leurs neveux et leurs amis et leurs seigneurs liges[3] ; contre terre, beaucoup se sont évanouis. Le duc Naimes a fait en homme sage, qui, le premier, dit à l'empereur : « Regardez en avant, à deux lieues de nous ; vous pourrez voir les grands chemins poudreux, tant il y a de Sarrasins. Or donc, chevauchez ! Vengez cette douleur ! – Ah ! Dieu ! dit Charles, déjà ils sont si loin ! Accordez-moi justice et honneur. C'est le meilleur de douce France qu'ils m'ont arraché ! » Il appela Othon et Geboin, Tedbalt de Reims et le comte Milon : « Gardez le champ de bataille, par les monts, par les vaux. Laissez les morts couchés, tout comme ils sont. Que bête ni lion n'y touche ! Qu'aucun écuyer ou jeune garçon n'y touche ! Que nul n'y touche, je vous l'ordonne, jusqu'à ce que Dieu nous permette de revenir sur ce champ de bataille ! » Et ils répondent avec douceur, en leur amour : « Juste empereur, cher seigneur, ainsi ferons-nous ! » Ils retiennent auprès d'eux mille de leurs chevaliers.

1. **Son ange Chérubin :** nom d'un ange appartenant à la catégorie des chérubins.
2. **Saint Michel du Péril :** archange protecteur du peuple franc.
3. **Seigneurs liges :** terme de féodalité. L'homme lige s'est engagé à une fidélité absolue vis-à-vis de son seigneur.

L'âme de Roland est emporté au ciel par deux anges.
Miniature (xive siècle).

Clefs d'analyse

Action et personnages

1. Laisse 168 : dans quel état se trouve Roland, dernier survivant de l'arrière-garde ? D'où vient sa blessure ? Que pensez-vous des détails réalistes donnés par le poète ?
2. Comment le Sarrasin attaque-t-il Roland ? Analysez ses paroles triomphantes (laisse 169). Quel trait l'ennemi affiche-t-il ?
3. Que pensez-vous du coup fatal que porte au Sarrasin Roland blessé à mort ? Comment expliquez-vous une telle force chez le héros gravement blessé ? Pourquoi peut-on parler ici de réalisme épique ?
4. Qu'apprenons-nous du passé de Roland à travers l'hommage que rend le héros mourant à son épée Durendal ?
5. Pourquoi Roland veut-il à tout prix briser sa précieuse épée Durendal ? À quoi aboutissent ses efforts ?
6. Expliquez les derniers gestes de Roland (laisses 174, 175,176) : que révèlent-ils des valeurs auxquelles le héros est attaché ?
7. Quelles sont les dernières pensées de Roland ? Montrez qu'il meurt comme un vrai preux et comme un vrai chrétien.
8. Quel effet dramatique produisent les appels angoissés de Charlemagne qui énumère en vain le nom des douze pairs ?
9. Expliquez le désespoir des barons chevaliers : quel but vise le poète à travers l'hyperbole « vingt mille perdent connaissance » (l. 177) ?
10. Quelle qualité le duc Naimes affiche-t-il au milieu de la détresse de ses compagnons ? Quel conseil donne-t-il à Charlemagne ? Comment l'action est-elle relancée ? Que va-t-il se passer ?
11. Pourquoi Charlemagne fait-il garder le champ de bataille ? Qui charge-t-il de cette mission ? Commentez son ordre trois fois répété de ne pas toucher aux dépouilles des Français.

Langue

12. Relevez les termes décrivant le guerrier sarrasin (laisse 169) : sur quelles qualités insiste le poète ? Quel idéal physique révèle-t-il chez l'homme du Moyen Âge ?

13. « Ah ! Durendal, que tu es belle et sainte ! » (laisse 173) : par quelle figure de style le poète rend-il l'épée vivante ?
14. Dans la laisse 177, relevez une phrase épique décrivant l'ampleur du massacre de Roncevaux.

Genre ou thèmes

15. Laisses 171,172, 173 : observez les reprises d'une laisse à une autre. Quel sens faut-il donner à ces répétitions ?
16. Comment progresse le récit dans les laisses 174, 175, 176 ? Pourquoi le poète s'attarde-t-il si longtemps sur la mort du héros ?
17. Étudiez les manifestations du merveilleux chrétien.

Écriture

18. Dans une rédaction d'une vingtaine de ligne, expliquez quelles pensées et quelles émotions éveillent en vous la mort de Roland.

Pour aller plus loin

19. Que devient Durendal dans le poème de Victor Hugo où Roland se bat avec Olivier (« Le mariage de Roland », in *La Légende des siècles*, 1859) ?

✻ À retenir

La chanson de geste répète souvent, en lui apportant quelques variantes, une laisse destinée à marquer l'auditoire. Ainsi les adieux de Roland à Durendal, repris dans les laisses 171, 172 et 173, attestent qu'il s'agit d'un moment-clé de l'action. De même, la mort du héros est redite trois fois en écho (laisses 174, 175, 176), ce qui traduit la volonté du poète de toucher l'auditoire en insistant sur cet épisode puissamment dramatique.

Troisième partie
Le châtiment du traître

Épisode VII : La défaite des Sarrasins. Le deuil de Charlemagne.

179. L'empereur fait sonner ses clairons ; puis il chevauche, le preux, avec sa grande armée. Ils ont forcé ceux d'Espagne à tourner le dos ; ils poursuivent tous ensemble l'ennemi. Quand l'empereur voit descendre le soir, il descend de cheval sur l'herbe verte, dans un pré : il se prosterne contre terre et prie le Seigneur Dieu de faire que pour lui le soleil s'arrête, que la nuit tarde et que le jour dure. Alors vient à lui un ange, celui qui a coutume de lui parler. Rapide, il lui donne ce commandement : « Charles, chevauche ; la clarté ne te manque pas. C'est le meilleur de France que tu as perdu, Dieu le sait. Tu peux te venger des Sarrasins criminels ! » Il dit, et l'empereur remonte à cheval.

180. Pour Charlemagne Dieu fit un grand miracle, car le soleil s'arrête, immobile. Les païens fuient, les Francs leur donnent fortement la chasse. Au Val Ténébreux ils les atteignent, les poussent vivement vers Saragosse, les tuent à coups frappés de plein cœur. Ils les ont coupés des routes et des chemins les plus larges. L'Èbre[1] est devant eux : l'eau en est profonde, redoutable, violente ; il n'y a pas une seule embarcation, d'aucune sorte. Les païens supplient un de leurs dieux, Tervagant, puis se précipitent ; mais nul ne les protégera. Ceux qui portent le heaume et le haubert sont les plus pesants : ils coulent au fond, nombreux ; les autres s'en vont flottant à la dérive ; les plus heureux boivent abondamment, tant qu'enfin tous se noient, dans une angoisse terrible. Les Français s'écrient : « Pauvre Roland ! »

181. Quand Charles voit que les païens sont tous morts, les uns tués, et la plupart noyés, et quel grand butin ont fait ses chevaliers,

---

1. **L'Èbre :** fleuve au nord de l'Espagne, qui passe par Saragosse.

il descend à pied, le noble roi, se couche contre terre et rend grâces à Dieu. Quand il se relève, le soleil est couché. L'empereur dit : « C'est l'heure de camper ; pour retourner à Roncevaux, il est tard. 30 Nos chevaux sont las et épuisés. Enlevez-leur les selles, ôtez-leur de la tête les mors[1] et par ces prés laissez-les se rafraîchir. » Les Francs répondent : « Sire, vous dites bien. »

182. L'empereur a établi son campement. Les Français mettent pied à terre dans ce lieu désert. Ils enlèvent à leurs chevaux les selles, 35 leur ôtent de la tête les mors dorés ; ils les laissent libres dans les prés ; les bêtes y trouvent beaucoup d'herbe fraîche : on ne peut leur donner d'autres soins. Qui est très las dort à même le sol. Cette nuit-là, personne ne monte la garde dans le camp.

[...]

40 **184.** Claire est la nuit, et brillante la lune. Charles est couché, mais il est plein de deuil pour Roland, et son cœur est lourd à cause d'Olivier, et des douze pairs, et des Français : à Roncevaux, il les a laissés morts, tout sanglants. Il pleure et se lamente, sans pouvoir se retenir et prie Dieu qu'il sauve leurs âmes. Il est las, car 45 sa peine est très grande. Il s'endort, il n'en peut plus. Dans tous les prés, les Francs se sont endormis. Pas un cheval qui puisse se tenir debout ; s'ils veulent de l'herbe, ils la broutent couchés. Il a beaucoup appris, celui qui a souffert.

185. Charles dort en homme agité par les tourments. Dieu lui a 50 envoyé saint Gabriel ; il lui commande de veiller sur l'empereur. L'ange se tient toute la nuit à son chevet. Par une vision, il lui annonce qu'une bataille lui sera livrée. Il la lui montre par des signes funestes. Charles a levé son regard vers le ciel : il y voit des tonnerres et des vents et des gelées, et des orages et des tempêtes 55 prodigieuses, des feux et des flammes, qui soudainement s'écrasent sur son armée. Les lances de frêne et de pommier prennent feu, et les écus jusqu'à leurs boucles d'or pur. Les hampes des épieux tranchants éclatent, les hauberts et les heaumes d'acier se tordent ; Charles voit ses chevaliers en grande détresse. Puis des 60 ours et des léopards veulent les dévorer, des serpents et des vipères,

---

1. **Mors :** partie de la bride qu'on passe dans la bouche du cheval pour le gouverner.

des dragons et des démons. Et plus de trente milliers de griffons[1] sont là, qui tous se précipitent sur les Français. Et les Français crient : « Charlemagne, à notre aide ! » Le roi est ému de douleur et de pitié ; il veut y aller, mais il en est empêché. D'une forêt vient contre lui un grand lion, plein de rage, d'orgueil et de hardiesse. Le lion s'en prend à sa personne même et l'attaque : tous deux pour lutter s'empoignent à bras le corps. Mais Charles ne sait qui est dessus, qui est dessous. L'empereur ne s'est pas réveillé. [...]

Gravement blessé par Roland qui lui a coupé une main, en deuil de son fils et ayant vu son armée entièrement défaite, Marsile demande l'aide de l'émir Baligant, maître de tous les païens et souverain de quarante royaumes. Charlemagne, de son côté retourne à Roncevaux...

204. Charlemagne est arrivé à Roncevaux. Pour les morts qu'il trouve, il se met à pleurer. Il dit aux Français : « Seigneurs, allez au pas, car je dois aller en avant, pour mon neveu, que je voudrais retrouver. J'étais à Aix, au jour d'une fête solennelle, quand mes vaillants chevaliers se vantèrent de grandes batailles, de forts assauts qu'ils livreraient. J'entendis Roland dire une chose : que, s'il devait mourir dans un royaume étranger, ce serait à la tête de ses hommes et ses pairs, qu'on le trouverait la tête tournée en direction du pays ennemi, et qu'ainsi, baron valeureux, il finirait en vainqueur. » Précédant les autres d'une courte distance, l'empereur est monté sur une butte.

205. Tandis qu'il va cherchant son neveu, il trouva dans le pré tant d'herbes, dont les fleurs sont vermeilles[2] du sang de nos barons ! La pitié l'envahit, il ne peut se retenir de pleurer. Il arrive en un lieu qu'ombragent deux arbres. Il reconnaît sur trois perrons les coups de Roland ; sur l'herbe verte il voit son neveu, qui est là, étendu. Qui s'étonnerait, s'il frémit de douleur ? Il descend de cheval, il y va en courant, il prend le comte entre ses bras, et il s'évanouit sur le corps, tant l'angoisse l'étreint.

206. L'empereur est revenu de son évanouissement. Le duc Naimes et le comte Acelin, Geoffroy d'Anjou et son frère Thierry

---

1. **Griffons** : animaux fabuleux, moitié aigle et moitié lion.
2. **Vermeilles** : rouges.

95 le prennent, le redressent sous un pin. Il regarde à terre, voit son neveu étendu sans vie. Alors, doucement, il lui fait ses adieux : « Ami Roland, que Dieu ait pitié de toi ! Nul homme ne vit jamais un chevalier tel que toi pour engager les grandes batailles et les gagner. Mon honneur s'en va vers son déclin. » Charles perd
100 connaissance : il ne peut résister à tant de douleur.

207. Le roi Charles est revenu de son évanouissement. Quatre de ses barons le tiennent par les mains. Il regarde à terre, voit son neveu étendu sans vie. Son corps est resté beau, mais il a perdu sa couleur ; ses yeux sont retournés et tout pleins de ténèbres. Par
105 amour et par foi Charles dit sur lui ses regrets : « Ami Roland, que Dieu mette ton âme dans les fleurs, en paradis, entre les glorieux ! Quel mauvais seigneur tu suivis en Espagne ! Plus un jour ne passera sans que je souffre en pensant à toi. Combien désormais ma force et mon honneur vont décliner ! Je n'aurai plus personne qui
110 soutienne mon honneur : il me semble n'avoir plus un seul ami sous le ciel ; j'ai des parents, mais pas un aussi preux que toi. » À pleines mains il arrache ses cheveux[1]. Cent mille Français en ont une douleur si grande qu'il n'en est aucun qui ne fonde en larmes.

208. « Ami Roland, je m'en irai en France. Quand je serai à Laon,
115 mon domaine privé, les vassaux étrangers arriveront de plusieurs royaumes. Ils demanderont : "Où est-il, le comte, notre chef ?" Je leur dirai qu'il est mort en Espagne, et je ne régnerai plus que dans la douleur et je ne vivrai plus un jour sans pleurer et sans gémir. »

209. « Ami Roland, vaillant, belle jeunesse, quand je serai à Aix,
120 en ma chapelle, les vassaux viendront, demanderont les nouvelles. Je leur en donnerai, d'étranges et de cruelles : «Il est mort, mon neveu, celui qui me fit conquérir tant de terres.» Contre moi se rebelleront les Saxons et les Hongrois et les Bulgares et tant de peuples maudits, les Romains et ceux de la Pouille et tous ceux
125 de Palerne, ceux d'Afrique et ceux de Califerne. [...] Qui conduira aussi puissamment mes armées, quand il est mort, celui qui toujours nous guidait ? Ah ! France, comme tu restes dépeuplée ! Mon deuil est si grand, je voudrais ne plus être de ce monde ! » Il tire sa

---

1. **Il arrache ses cheveux :** manière d'exprimer sa douleur.

barbe blanche[1], de ses deux mains arrache les cheveux de sa tête.
130 Cent mille Français s'évanouissent à terre.

210. « Ami Roland, que Dieu ait pitié de toi ! Que ton âme soit mise en paradis ! Celui qui t'a tué, c'est la France qu'il a anéantie ! Ma douleur est si grande que je voudrais ne plus vivre ! Ô mes chevaliers, qui êtes morts pour moi ! Puisse Dieu, le fils de sainte
135 Marie, accorder que mon âme, avant que j'atteigne les cols de la vallée de Cize[2], se sépare en ce jour même de mon corps et qu'elle soit placée auprès de leurs âmes et que ma chair soit enterrée auprès d'eux ! » Il pleure, tire sa barbe blanche. Et le duc Naimes dit : « L'angoisse de Charles est bien grande ! »

140 **211.** « Sire empereur, dit Geoffroy d'Anjou, ne vous livrez pas si entièrement à cette douleur ! À travers tout le champ de bataille faites rechercher les nôtres que ceux d'Espagne ont tués dans la bataille. Ordonnez qu'on les transporte dans une même fosse. » Le roi dit : « Sonnez votre cor pour en donner l'ordre. »

145 **212.** Geoffroy d'Anjou a sonné son cor. Les Français descendent de cheval, Charles l'a ordonné. Tous leurs amis qu'ils retrouvent morts, ils les transportent aussitôt à une même fosse. Il y a dans l'armée des évêques et des abbés en nombre, des moines, des chanoines[3], des prêtres tonsurés[4] : ils leur donnent l'absolution et la
150 bénédiction de Dieu.

[...]

1. **Tire sa barbe blanche :** manière d'exprimer sa douleur.
2. **Les cols de la vallée de Cize :** en territoire français, dans les Pyrénées.
3. **Chanoines :** religieux.
4. **Tonsurés :** dont une partie du crâne est rasée ; cette pratique est une marque de renonciation au monde et donc d'appartenance au clergé.

Bataille de Charlemagne contre les Sarrasins.
Miniature (XIVe siècle).

Clefs d'analyse

Épisode VII

Action et personnages

1. Quelle prière Charlemagne adresse-t-il à Dieu ? Quelle réponse divine reçoit-il ? Que signifie, sur le plan religieux, cette intervention miraculeuse ?
2. Quelle tactique guerrière adoptent les Français ? Montrez leur génie stratégique et expliquez leur détermination farouche.
3. Pourquoi les Sarrasins ne tentent-ils pas de faire front ? Ont-ils une échappatoire ? Commentez le sort qui leur est réservé.
4. Pourquoi les Français victorieux ne manifestent-ils aucune joie ? Dans quel état physique et mental se trouvent-ils ? Comment s'organisent-ils pour passer la nuit ?
5. Quel effet produit le calme du campement évoqué dans les laisses 181 à 184 par opposition au rêve tourmenté de l'empereur (laisse 185) ?
6. Analysez les paroles de désespoir de l'empereur en vous fondant sur les sentiments qu'il portait à son neveu, sur la place que le héros occupait dans son empire et sur l'avenir politique qui se dessine.
7. L'empereur s'évanouit ; il pleure, il tire sa barbe et il s'arrache les cheveux : pourquoi sommes-nous surpris par ces manifestations d'un chagrin extrême ?
8. Finalement qui ramène Charlemagne à la réalité du champ de bataille ? Quelle urgence se présente maintenant ?

Langue

9. Que semble annoncer le rêve de Charlemagne dans la laisse 185 ? Relevez et commentez les deux champs lexicaux dominants.
10. Les regrets de Charlemagne (laisses 206 et 207) : quels termes et quelles constructions grammaticales nourrissent le pathétique dans l'expression du sentiment ?

Genre ou thèmes

11. « Et quel grand butin ont fait ses chevaliers » (laisse 181) : qu'apprenons-nous sur les coutumes guerrières de l'époque ? Comment le lecteur d'aujourd'hui réagit-il face à ces usages ?

12. De retour à Roncevaux, quelle est la première préoccupation de Charlemagne ? Expliquez son désir d'aller en avant reconnaître les corps.
13. Par quels détails descriptifs le poète donne-t-il à l'image de Roland étendu sans vie une réelle poésie (laisse 205) ?
14. Observez les parallélismes dans les laisses 205 à 207 et 208 à 210 : expliquez l'insistance du poète.
15. Qu'apprenons-nous sur la composition de l'armée de Charlemagne (laisse 212) ? Quel aspect du combat des Francs cette précision souligne-t-elle ?

Écriture

16. Quelles réflexions vous inspire la phrase du poète dans la laisse 184 : « Il a beaucoup appris, celui qui a souffert » ? Votre commentaire s'appuiera non seulement sur le récit de l'épisode VII, mais aussi sur vos lectures et sur les films que vous avez vus.

Pour aller plus loin

17. Repérez Saragosse sur une carte d'Espagne. Où se trouve cette ville par rapport à la frontière française actuelle ?

✻ À retenir

La chanson de geste accorde une place très importante à l'expression de la douleur et du regret, sentiments qui nourrissent le registre pathétique destiné à toucher la sensibilité de l' auditoire. Dans cet épisode, le deuil de Charlemagne s'exprime par des lamentations, des mots de nostalgie, des larmes, des gestes de désespoir et le désir de mourir. Ces manifestations sont d'autant plus émouvantes qu'elles viennent d'un héros conquérant.

Épisode VIII : Le duel entre Charlemagne et Baligant. Charlemagne s'empare de Saragosse.

Les corps de Roland, d'Olivier et de l'archevêque Turpin sont embaumés avec respect, tendresse et tristesse. Mais, au moment où Charlemagne se prépare à reprendre la route de France, l'avant-garde des païens surgit pour un nouveau défi : « Roi orgueilleux, il n'est pas question de repartir. Vois Baligant qui chevauche après toi ! Grandes sont les armées qu'il amène d'Arabie. Avant ce soir nous verrons si tu as de la vaillance. » La réponse ne se fait pas attendre : cent mille Français sont prêts à se battre pour venger la mort de leurs compagnons. De part et d'autre les corps de bataille s'organisent : « Grandes sont les armées ; et beaux les corps de bataille. » Chrétiens et musulmans s'affrontent avec rage ; des deux côtés, les pertes sont innombrables. Le soir venu, les deux chefs, Charlemagne et Baligant, se retrouvent face à face : tombés à terre, ils ont dégainé leurs épées...

258. Le jour passe, le soir approche. Francs et païens frappent des épées. Les deux chefs qui ont fait s'affronter ces armées sont des preux l'un et l'autre. Ils n'oublient pas leur cri de guerre. L'émir crie : « Précieuse ! », Charles : « Montjoie ! », la devise fameuse. 5 À leurs voix hautes et claires, ils se sont reconnus. Au milieu du champ leur face-à-face a lieu, ils commencent à frapper, échangent de grands coups d'épieu sur leurs boucliers ornés de rosaces. Ils les ont brisés tous deux en leur centre bombé ; ils ont déchiré les pans de leur haubert mais leur corps n'est pas blessé. Les sangles 10 se rompent, les selles se renversent, les deux rois tombent. Par terre, ils se retournent et, vite, se redressent debout. Ils dégainent hardiment leurs épées. Cette lutte ne sera pas reportée : sans mort d'homme elle ne peut s'achever.

259. Il est très vaillant, Charles de douce France, pourtant, l'émir 15 ne le craint ni ne le redoute. Ils brandissent leurs épées toutes nues, et sur leurs écus échangent de grands coups. Ils en tranchent les cuirs et les bois des armatures[1], qui sont doubles ; les clous

1. **Les cuirs et les bois des armatures** : les boucliers sont faits de cuir et de lattes de bois – les armatures.

tombent, les boucles volent en éclats. Puis, à corps découvert, ils se frappent directement sur leur cotte de mailles ; de leurs heaumes 20 clairs des étincelles jaillissent. Cette lutte ne peut cesser tant que l'un d'eux n'aura pas reconnu ses torts.

260. L'émir dit : « Charles, rentre en toi-même : résous-toi à me montrer que tu te repens ! En vérité, tu m'as tué mon fils[1] et c'est à très grand tort que tu me disputes mon pays. Deviens mon vas- 25 sal [...] Viens-t'en d'ici jusqu'en Orient, mets-toi à mon service. » Charles répond : « Ce serait, à mon avis, faire une grande bassesse. À un païen je ne dois accorder ni paix ni amour. Reçois la loi que Dieu nous révèle, la loi chrétienne : aussitôt je t'aimerai ; puis sers et crois notre roi tout-puissant. » Baligant dit : « Tu prêches là un 30 mauvais sermon[2] ! » Alors ils recommencent à frapper de l'épée.

261. L'émir est d'une grande vigueur. Il frappe Charlemagne sur son heaume d'acier brun, le lui brise sur la tête et le fend ; la lame descend jusqu'à la chevelure, arrache de la chair un morceau plus grand que la paume de la main ; l'os reste à nu. Charles chancelle, 35 il a failli tomber. Mais Dieu ne veut pas qu'il soit tué ni vaincu. Saint Gabriel est revenu vers lui ; il lui demande : « Grand roi, que fais-tu donc ? »

262. Quand Charles a entendu la sainte voix de l'ange, il ne craint plus rien, il sait qu'il ne mourra pas. Il reprend vigueur et connais- 40 sance. De l'épée de France il frappe l'émir. Il lui brise son heaume où brillent des pierres précieuses, lui ouvre le crâne, et la cervelle se répand, il lui fend tout le visage jusqu'à la barbe blanche, et l'abat définitivement mort. Il crie : « Montjoie ! » pour qu'on se rallie à lui. Au cri le duc Naimes est venu ; il amène Tencendur[3] sur lequel 45 monte le grand roi. Les païens s'enfuient, Dieu ne veut pas qu'ils résistent. Les Français ont atteint le but qu'ils ont tant désiré.

263. Les païens s'enfuient, car Dieu le veut. Les Francs, et l'empereur avec eux, les pourchassent. Le roi dit : « Seigneurs, vengez vos deuils, soulagez votre colère et allégez vos cœurs, car j'ai vu ce 50 matin vos yeux pleurer. » Les Francs répondent : « Sire, c'est pré-

---

1. **Tu m'as tué mon fils :** il s'agit de Malpramis, dont Baligant vient d'apprendre la mort.
2. **Sermon :** prière.
3. **Tencendur :** le cheval de combat de Charlemagne.

cisément ce que nous voulons ! » Chacun frappe à grands coups, tant qu'il peut. Des païens qui sont là, bien peu en réchappent.

264. La chaleur est forte, la poussière s'élève du sol. Les païens fuient et les Français les harcèlent. La chasse dure jusqu'à
55 Saragosse. Bramidoine[1] est montée tout en haut de sa tour ; avec elle ses clercs et ses chanoines[2] de la fausse religion, celle que Dieu n'aime pas : ils n'ont pas reçu les ordres ni la tonsure[3]. Quand elle voit les Arabes en telle déroute, à haute voix elle s'écrie : « Mahomet, à l'aide ! Ah ! noble roi, les voilà vaincus, nos hommes !
60 L'émir est tué, si honteusement ! » Quand Marsile l'entend, il se tourne vers la muraille, il est en pleurs et baisse la tête. Il meurt de douleur accablé du poids de son péché. Il donne son âme aux diables vifs.

265. Les païens sont morts... Et Charles a gagné la bataille. Il a
65 abattu la porte de Saragosse : il sait qu'elle ne sera pas défendue. Il se saisit de la cité ; ses troupes y pénètrent : par droit de conquête, elles y couchèrent cette nuit-là. Le roi à la barbe blanche en est rempli de fierté. Et Bramidoine lui a rendu les tours, les dix grandes, les cinquante petites. Celui qui est aidé de Dieu accomplit magnifi-
70 quement sa tâche.

266. Le jour passe, la nuit est tombée. La lune est claire, les étoiles brillent. L'empereur a pris Saragosse : par mille Français on fait fouiller à fond la ville, les synagogues[4] et les mosquées[5]. À coups de marteaux de fer et de cognées ils brisent les images et toutes
75 les idoles[6] : il ne restera dans la ville ni magie ni maléfice. Le roi croit en Dieu, il veut faire son service ; et ses évêques bénissent

---

1. **Bramidoine :** épouse de Marsile.
2. **Ses clercs et ses chanoines :** ses religieux. Noter que ces termes désignent les hommes d'Église catholiques. Ils sont ici appliqués aux païens, ce qui montre à quel point le poète ignore la réalité de la religion musulmane.
3. **Ils n'ont pas reçu les ordres ni la tonsure :** ils n'ont pas reçu les ordres sacrés des homme d'Église et n'ont pas le sommet du crâne rasé comme les prêtres catholiques.
4. **Synagogues :** une synagogue est le lieu de culte pour les juifs.
5. **Mosquées :** une mosquée est le lieu de culte pour les musulmans.
6. **Idoles :** représentations de divinités que l'on vénère.

les eaux. On amène les païens jusqu'au baptistère[1] ; s'il en est un qui résiste à Charles, le roi le fait pendre, ou brûler ou tuer par le fer. Bien plus de cent mille sont baptisés comme de vrais chrétiens, 80 mais non la reine. Elle sera amenée en douce France, captive : le roi veut qu'elle se convertisse par amour.

267. La nuit passe, le jour se lève clair. Dans les tours de Saragosse Charles installe des troupes. Il y laisse mille combattants : ils gardent la ville au nom de l'empereur. Le roi monte à 85 cheval ; ainsi font tous ses hommes et Bramidoine, qu'il emmène captive ; mais il ne veut rien lui faire, que du bien. Ils s'en retournent, pleins de joie et de fierté. En passant, ils occupent Narbone par la force : ils sont tout-puissants. Charles parvient à Bordeaux, la fière cité [...] : sur l'autel du baron saint Seurin, il dépose l'olifant, 90 rempli d'or et d'écus ; les pèlerins de passage l'y voient encore. Il passe la Gironde sur les grands navires qu'il y trouve. Jusqu'à Blaye il a conduit son neveu, et Olivier, son noble compagnon, et l'archevêque, qui fut sage et preux. Dans des cercueils blancs il fait mettre les trois seigneurs : c'est à Saint-Romain qu'ils reposent, les 95 vaillants. Les Français les recommandent à Dieu et récitent la prière des Noms[2]. À travers les vallées et les monts, Charles chevauche : jusqu'à Aix, il ne veut faire aucune halte. Il a tant chevauché qu'il parvient au perron[3] situé à l'entrée de son palais. Une fois qu'il y est monté, il fait appeler, par ses messagers, ses juges, Bavarois 100 et Saxons, Lorrains et Frisons ; il fait appeler les Allemands, il fait appeler les Bourguignons, et les Poitevins et les Normands et les Bretons, et ceux de France, les plus sages d'entre tous. Alors commence le procès de Ganelon.

---

1. **Baptistère :** édifice destiné à l'administration du baptême.
2. **Prière des Noms :** prière que l'on récite normalement dans les moments de danger. Dans cette prière figurent les 72 ou 100 noms de Dieu.
3. **Perron :** voir note 4 p. 20.

Clefs d'analyse

Épisode VIII

Action et personnages

1. À quel nouveau défi doit répondre Charlemagne prêt à retourner en France ? Qui est venu à la rescousse de Marsile ? Que s'est-il passé ?
2. Comment le poète met-il en scène, sous une forme très visuelle, le combat des deux chefs ? Suivez les notations de mouvement, de bruits et de lumières.
3. Étudiez le dialogue des deux chefs dans la laisse 260 en vous appuyant sur le vocabulaire féodal et religieux. Qu'exige chacun d'eux ? En réalité, que symbolise le combat de ces deux hommes ?
4. À quel moment et sous quelle forme saint Gabriel, une fois de plus, intervient-il dans la vie de Charlemagne ? Quel effet produit cette intervention divine sur Charlemagne (laisse 262) ?
5. Comment meurt Baligant ? Expliquez l'acharnement des Français jusqu'à Saragosse.
6. Bradimoine appelle Mahomet. Le dieu païen vient-il à son secours ? Que cherche à démontrer le poète ?
7. La mort de Marsile (laisse 264) : expliquez la portée symbolique de la dernière phrase « Il donne son âme aux diables vifs ».
8. Comment se comportent les Français à Saragosse ? Que pensez-vous des baptêmes forcés auxquels ils contraignent les païens ? Pourquoi la reine en est-elle dispensée ? Quel sera son sort ?
9. Où sont enterrés Roland, Olivier et l'archevêque Turpin ? expliquez la hâte de Charlemagne à rentrer à Aix-la-Chapelle.

Langue

10. Commentez l'expression « la fausse religion » (laisse 264).
11. Expliquez l'expression « par droit de conquête » (laisse 265) : que laisse-t-elle prévoir ?

Genre ou thèmes

12. Relevez dans les laisses 258 et 259 le point de vue exprimé par le poète. Imaginez la réaction de l'auditoire.

13. Que suggère la phrase de Charlemagne à ses hommes : « Seigneurs, vengez vos deuils, soulagez votre colère et allégez vos cœurs » ? L'affrontement avec Baligant est-il une guerre de conquête ou une vengeance ?
14. « Les païens s'enfuient, car Dieu le veut » (laisse 263) : montrez que cette phrase traduit bien l'esprit des croisades.

Écriture

15. Racontez, du point de vue de Bradimoine « montée tout en haut de sa tour », l'arrivée des Français à Sagagosse. Votre récit, au présent de narration, associera la description d'une scène épique à l'expression des sentiments qu'éprouve la reine.

Pour aller plus loin

16. Faites un exposé sur les croisades qui se sont déroulées de la fin du XIe siècle à la fin du XIIIe. Vous trouverez des sources d'information sur Internet et dans un livre d'histoire (pages consacrées au Moyen Âge).

✻ À retenir

Dans *La Chanson de Roland*, le camp des chrétiens est présenté comme le symbole du Bien et du Droit tandis que le camp des Sarrasins représente le Mal et l'Erreur. La victoire de Charlemagne aidé de saint Gabriel et la cuisante défaite des païens abandonnés par leur dieu symbolisent le triomphe d'une cause juste et la punition des infidèles : comme on le voit, le monde des Sarrasins est présenté avec partialité, à partir du point de vue chrétien, conformément à l'esprit des croisades.

Épisode IX : Retour de Charlemagne à Aix-la-Chapelle et procès de Ganelon.

268. L'empereur est revenu d'Espagne. Il vient à Aix, le meilleur lieu de France. Il monte au palais, il est entré dans la salle. Voici que vient à lui Aude, une belle demoiselle. Elle dit au roi : « Où est-il, Roland le capitaine, qui me jura de me prendre pour sa 5 femme ? » Charles en éprouve douleur et peine. Il pleure, tire sa barbe blanche : « Sœur[1], chère amie, c'est un homme mort que tu me réclames. Je te donnerai, en échange, un fiancé encore meilleur : ce sera Louis, je ne sais pas mieux te dire. Il est mon fils, c'est lui qui sera à la tête de mes provinces. » Aude répond : « Cette 10 parole m'est étrange. À Dieu ne plaise, à ses saints, à ses anges, qu'après la mort de Roland je reste vivante ! » Elle perd ses couleurs, tombe aux pieds de Charlemagne. Elle est morte aussitôt : que Dieu ait pitié de son âme ! Les barons français en pleurent et la plaignent.

15 **269.** Aude la Belle est allée à sa fin. Le roi croit qu'elle est évanouie, il a pitié d'elle, il pleure. Il la prend par les mains, la relève ; sur les épaules, la tête retombe. Quand Charles voit qu'elle est morte, il fait appeler aussitôt quatre comtesses. On l'emmène dans un monastère de religieuses ; toute la nuit, jusqu'à l'aube, on la 20 veille ; au pied d'un autel, on l'enterre délicatement. Le roi lui a rendu de très grands honneurs.

270. L 'empereur est rentré à Aix. Ganelon le félon, en des chaînes de fer, est dans la cité, devant le palais. Des serfs[2] l'ont attaché à un poteau ; ils lui lient les mains avec des courroies de cuir de cerf, 25 ils le battent fortement à coups de triques et de bâtons. Il n'a point mérité meilleur traitement. Plein de tourments, il attend là son jugement.

---

1. **Sœur :** terme d'affection.
2. **Serfs :** dans la société féodale, personne de basse condition attachée à une terre et dépendant d'un seigneur.

271. Il est écrit dans la Geste[1] ancienne que, de nombreux pays, Charles fit appeler ses vassaux. Ils sont assemblés à Aix, à la cha-
30 pelle. C'est le grand jour d'une fête solennelle, celle, disent plusieurs, du baron saint Sylvestre. Alors commence le procès, et voici ce qu'il advint de Ganelon, qui a trahi. L'empereur devant lui l'a fait traîner.

272. « Seigneurs barons, dit Charlemagne, le roi, jugez-moi Ganelon selon le droit. Il vint dans l'armée jusqu'en Espagne avec moi. Il m'a
35 enlevé vingt mille de mes Français, et mon neveu, que vous ne reverrez plus, et Olivier, le preux et le courtois : les douze pairs, il les a trahis pour de l'argent. » Ganelon dit : « Honte sur moi si je le nie ! En or et en avoirs Roland m'a gravement lésé et c'est pourquoi j'ai cherché sa mort et sa ruine. Mais je démens qu'il y ait eu la moindre trahi-
40 son. » Les Francs répondent : « Nous en tiendrons conseil. »

273. Devant le roi, Ganelon se tient debout. Il a le corps gaillard, le visage bien coloré : s'il était loyal, on croirait voir un preux. Il regarde ceux de France, et tous les juges, et trente de ses parents sont avec lui, puis il s'écrie à voix haute et forte : « Pour l'amour
45 de Dieu, barons, entendez-moi ! Seigneurs, je fus à l'armée avec l'empereur. Je le servais en toute foi, en tout amour. Roland, son neveu, me prit en haine et me condamna à la mort et à la douleur. Je fus envoyé comme messager au roi Marsile : par mon adresse, je parvins à me sauver. Je défiai le preux Roland et Olivier, et tous
50 leurs compagnons : Charles et ses nobles barons entendirent mon défi. Je me suis vengé, mais ce ne fut pas trahison. » Les Francs répondent : « Nous irons en tenir conseil. »

274. Quand Ganelon voit que commence son grand procès, il réunit trente de ses parents. Parmi eux, il en est un à qui s'en
55 remettent les autres, c'est Pinabel, du château de Sorence. Il sait bien parler et dire ses raisons comme il convient. Il est vaillant, quand il s'agit de défendre ses armes. Ganelon lui dit : « Arrachez-moi à la mort et à ce procès ! » Pinabel dit : « Bientôt vous serez sauvé. S'il se trouve un Français pour juger que vous devez être
60 pendu, que l'empereur nous mette aux prises tous deux, dans un duel corps à corps : mon épée d'acier lui donnera le démenti[2]. » Ganelon le comte se jette à ses pieds.

---

1. **Geste :** voir note 5, page 60.
2. **Lui donnera le démenti :** lui prouvera son tort.

275. Bavarois et Saxons sont entrés en conseil, et les Poitevins, les Normands, les Français, Allemands et Thiois[1] sont là en nombre ; ceux d'Auvergne y sont les plus courtois. Ils baissent le ton à cause de Pinabel. L'un dit à l'autre : « Il convient d'en rester là. Laissons le procès, et prions le roi qu'il proclame Ganelon quitte pour cette fois ; que Ganelon le serve désormais en toute foi, en tout amour. Roland est mort, vous ne le reverrez plus ; ni or ni argent ne le rendrait. Bien fou qui combattrait Pinabel ! » Tous l'approuvent, excepté Thierry, le frère de monseigneur Geoffroy.

276. Les barons reviennent vers Charlemagne. Ils disent au roi : « Sire, nous vous en prions, proclamez quitte le comte Ganelon ; puis, qu'il vous serve en tout amour et toute foi ! Laissez-le vivre, car il est très haut seigneur [...] Ni or ni argent ne vous rendrait Roland. » Le roi dit : « Vous êtes des félons. »

277. Quand Charles voit que tous manquent à leur devoir, il baisse la tête douloureusement. « Malheureux que je suis ! » dit-il. Mais voici que se présente devant lui un chevalier, Thierry, frère de Geoffroy, un duc angevin. Il a le corps maigre, grêle, élancé, les cheveux noirs, le visage assez brun. Il n'est pas très grand, ni trop petit. Il dit à l'empereur, courtoisement : « Beau sire roi, ne vous désolez pas ainsi. Je vous ai longtemps servi, vous le savez. Fidèle à l'exemple de mes ancêtres, je dois, dans un tel procès, vous soutenir dans l'accusation. Si même Roland eut des torts envers Ganelon, ce dernier, sachant que Roland était à votre service, aurait dû accepter son sort. Ganelon est félon, puisqu'il l'a trahi : c'est envers vous qu'il s'est parjuré[2] et qu'il a commis un crime. C'est pourquoi je juge qu'il soit pendu et qu'il meure, et que son corps [...] soit traité comme celui d'un félon qui fit une félonie. Si un de ses parents veut me prouver le contraire, je tiens, de cette épée que j'ai ceinte, à défendre mon jugement sans attendre. » Les Francs répondent : « Vous avez bien dit. »

278. Devant le roi, Pinabel s'est avancé. Il est grand et fort, vaillant et agile ; celui qu'un de ses coups atteint est un homme mort. Il dit au roi : « Sire, ce procès vous appartient : ordonnez

---

1. **Thiois :** Allemands, Germains.
2. **Il s'est parjuré :** il n'a pas respecté ses devoirs ni ses engagements solennels.

donc qu'on n'y fasse pas tant de bruit ! Je vois ici Thierry, qui a prononcé un jugement. Moi, je considère qu'il est faux et je combattrai contre lui. » Il remet au roi, en son poing, le gant en peau
100 de cerf[1] qu'il portait à sa main droite. L'empereur dit : « Je demande de bons garants. » Trente parents de Ganelon s'offrent en loyaux otages. Le roi dit : « Et je mettrai donc Ganelon en liberté sous caution. » Il place les trente garants sous bonne garde, jusqu'à ce que justice soit faite. [...]

105 *Le duel a lieu entre Pinabel, partisan de Ganelon, et Thierry qui, au service de Charlemagne, veut la punition du traître. Les deux champions s'affrontent. Bien que blessé, Thierry sort vainqueur d'un combat sans merci.*

287. Quand Thierry eut gagné sa bataille, l'empereur Charles vint
110 à lui. Quatre de ses barons l'accompagnent, le duc Naimes, Ogier de Danemark, Geoffroy d'Anjou et Guillaume de Blaye. Le roi a pris Thierry dans ses bras ; des grandes peaux de son manteau de martre, il lui essuie la face, puis rejette le manteau : on lui en met un autre. Très tendrement on désarme le chevalier, on le monte sur une
115 mule d'Arabie ; on le ramène avec joie, en compagnie de tous les barons. Tous se rendent à Aix, mettent pied à terre sur la place. Alors commence la mise à mort de Ganelon et de ses partisans.

288. Charles appelle ses ducs et ses comtes : « Que me conseillez-vous à l'égard de ceux que j'ai retenus comme otages ? Ils étaient
120 venus au procès pour Ganelon ; ils se sont rendus à moi comme garants de Pinabel. » Les Francs répondent : « Pas un n'a le droit de vivre. » Le roi appelle Basbrun, un de ses officiers de justice : « Va, et pends-les tous à l'arbre au bois maudit. Par cette barbe dont les poils sont blancs, s'il en échappe un seul, tu es un homme mort
125 réduit à néant. » Il répond : « Que puis-je faire d'autre ? » Avec cent sergents il les emmène de force : ils sont trente ; ils furent tous pendus. Celui qui trahit cause la perte des autres.

---

1. **Il remet au roi, en son poing, le gant de peau de cerf :** par ce geste, Thierry montre sa soumission au roi.

289. Alors sont repartis Bavarois et Allemands et Poitevins et Bretons et Normands[1]. Tous sont tombés d'accord, et les Français
130 les premiers, que Ganelon doit mourir dans un terrible supplice. On amène quatre chevaux de bataille, puis on lui attache les pieds et les mains. Les chevaux sont ardents et rapides : devant eux, quatre sergents les poussent vers un cours d'eau qui traverse un champ, prêts à les saisir. Ganelon est définitivement perdu. Tous
135 ses nerfs se distendent, tous les membres de son corps se brisent ; sur l'herbe verte son sang se répand clair. Ganelon est mort de la mort qui convient à un félon prouvé. Quand un homme en trahit un autre, il n'est pas juste qu'il puisse s'en vanter.

290. Quand l'empereur eut accompli sa vengeance, il appela ses
140 évêques de France, ceux de Bavière et ceux d'Allemagne : « En ma maison j'ai une noble prisonnière. Elle a entendu tant de sermons et de bons exemples qu'elle veut croire en Dieu et demande à se faire chrétienne. Baptisez-la, pour que Dieu ait son âme. » Ils répondent : « Qu'on lui donne des marraines ! » [...] Aux bains d'Aix [...] ils bap-
145 tisèrent la reine d'Espagne2 ; ils lui ont trouvé pour nom Julienne. Elle s'est faite chrétienne par une vraie connaissance de la sainte loi de l'Église.

291. Quand l'empereur eut fait justice et apaisé sa grande colère, il a fait chrétienne Bramidoine. Le jour passe, la nuit est tombée. Le
150 roi s'est couché dans sa chambre voûtée. Messager de Dieu, saint Gabriel vient lui dire : « Charles, de tout ton empire, convoque les soldats de ton empire ! Avec ta puissante armée tu iras en la terre de Bire, tu secourras le roi Vivien dans sa cité d'Imphe, où les païens ont mis le siège. Là les chrétiens t'appellent et te réclament ! »
155 L'empereur voudrait ne pas y aller : « Dieu ! dit-il, que de peines en ma vie ! » Ses yeux versent des larmes, il tire sa barbe blanche.

Ici finit l'histoire que Turold décline[3].

---

1. **Bavarois et Allemands et Poitevins et Bretons et Normands :** les juges que Charlemagne a fait venir des quatre coins de son empire.
2. **La reine d'Espagne :** il s'agit de Bramidoine, l'épouse de Marsile faite prisonnière lors de la prise de Saragosse.
3. **Décline :** ce verbe est sujet à interprétation. Signifie-t-il « compose » (dans ce cas, Turold est l'auteur), « transcrit » (dans ce cas, Turold est un copiste), « déclame » (dans ce cas, Turold est un jongleur qui chante les aventures de Charlemagne) ?

Clefs d'analyse

Action et personnages

1. Que savons-nous d'Aude et qu'apprenons-nous à travers le dialogue de la laisse 268 ?
2. Comment comprenez-vous la proposition de Charlemagne à Aude ? Pourquoi la jeune fille meurt-elle sur le coup ?
3. Dans quel état physique et moral retrouvons-nous Ganelon ?
4. Pourquoi Charles fait-il appeler ses vassaux ? D'où viennent-ils (laisse 275) ? Quel sera leur rôle ?
5. Analysez les accusations que porte l'empereur (laisse 272) : sont-elles objectives ? Que reconnaît Ganelon ? Que nie-t-il ?
6. Comment sont composées l'accusation et la défense ? Ganelon a-t-il l'attitude d'un coupable (laisse 274) ?
7. Quel est l'argument essentiel de Ganelon pour sa défense ? Discutez cet argument.
8. Qui est Pinabel ? Que propose-t-il à Ganelon ? Que révèle la réaction de l'accusé qui « se jette à ses pieds » (laisse 274) ?
9. Que proposent les juges formant l'accusation ? Quels sont leurs arguments (laisses 275 et 276) ?
10. Expliquez la réaction du roi (« Vous êtes des félons... tous manquent à leur devoir ») en vous fondant sur le pacte féodal.
11. Analysez l'intervention et le raisonnement de Thierry. Pourquoi le conteur juge-t-il utile ici de souligner la faiblesse physique de ce chevalier ? Jugez du contraste avec le portrait de Pinabel (laisses 277 et 278) : que souligne-t-il ?
12. Quel est l'issue du duel entre le champion de Ganelon et celui de Charlemagne ? Qui décide de la mort des trente garants de Pinabel ? Expliquez leur sort à la lumière de la phrase : « Celui qui trahit cause la perte des autres » (laisse 288).

Langue

13. Dans les laisses 271 à 278, relevez les termes suggérant l'indignité de Ganelon.

Clefs d'analyse Épisode IX

14. Justifiez l'emploi des termes « vengeance » (laisse 290) et « justice » (laisse 291) qui, tour à tour, désignent le procès engagé contre Ganelon.

Genre ou thèmes

15. Soulignez le réalisme de la laisse 289 où est décrite la mise à mort du traître. Pourquoi Charlemagne, très sensible dans certaines circonstances, applique-t-il si fermement la loi ?
16. Quel parti prend le poète dans son commentaire : « Ganelon est mort de la mort qui convient à un félon prouvé… il n'est pas juste qu'il puisse s'en vanter » (laisse 189) ?
17. Que suggère la christianisation volontaire de la reine Bramidoine ?

Écriture

18. Quelle impression vous laisse le dénouement de *La Chanson de Roland* ? Avez-vous aimé cette histoire ? Que pensez-vous de ses héros et du cadre féodal dans lequel se déroule l'action ? Appuyez vos réflexions et vos jugements sur des références précises au texte.

Pour aller plus loin

19. Aujourd'hui, dans un procès, quel est le rôle de l'avocat général ? Celui du jury et des avocats ? Aidez-vous d'Internet pour répondre.

* À retenir

L'irruption du surnaturel n'étonne pas le public du Moyen Âge pour qui le merveilleux chrétien traduit la présence de Dieu. À plusieurs reprises dans *La Chanson de Roland*, l'ange Gabriel vient au secours de Charlemagne et accomplit des miracles pour lui assurer la victoire contre les infidèles. Dans le dénouement, le même saint vient inciter l'empereur à repartir en campagne pour secourir le roi Vivien assiégé par les païens.

La création et la publication de l'œuvre

Repérez et soulignez, dans cette présentation de *La Chanson de Roland*, deux inexactitudes :

La Chanson de Roland s'inspire d'un événement ayant eu lieu en 778, sous le règne de l'empereur Charlemagne, le plus prestigieux des rois carolingiens : l'attaque surprise et le massacre de l'avant-garde du roi à Roncevaux, dans le massif montagneux des Alpes.

Écrite dans les dernières années du XIe siècle et tout imprégnée de l'esprit des croisades, *La Chanson de Roland* transporte l'action dans la société féodale, société organisée autour du lien féodal qui attache le vassal à son suzerain.

La Chanson de Roland transforme une défaite en chant de gloire dédié à la France et au christianisme.

Pendant des siècles, l'œuvre est restée inconnue jusqu'au jour où un chercheur, attaché à retrouver les trésors cachés de la littérature française, découvre le manuscrit à Cambridge, en Angleterre.

Rédigé en ancien français, le récit mêle la légende à la fiction.

Le genre

1. **Donnez une définition de la chanson de geste en cochant les bonnes réponses :**

	oui	non
a. La chanson de geste est un récit épique.	☐	☐
b. La chanson de geste s'inspire de faits historiques.	☐	☐
c. La chanson de geste s'organise en laisses.	☐	☐
d. La chanson de geste est un poème en vers.	☐	☐
e. La chanson de geste est un récit en prose.	☐	☐

2. Soulignez la bonne réponse :

a. La chanson de geste est un récit le plus souvent anonyme / signé par son auteur.

b. Dans l'histoire de la littérature française, la chanson de geste précède / suit le roman.

c. La chanson de geste raconte essentiellement des exploits guerriers / des histoires d'amour.

d. La chanson de geste est chantée / lue par des jongleurs.

e. Le jongleur s'accompagne d'une vielle / d'une trompette.

3. Dans cette liste, sélectionnez les éléments qui entrent dans la composition de la chanson de geste :

a. le merveilleux chrétien

b. les descriptions réalistes

c. les dialogues

d. les leçons de chevalerie

e. les exagérations épiques

L'action

1. À l'aide de numéros, mettez dans l'ordre chronologique les événements qui constituent l'intrigue :

☐ Olivier meurt sur le champ de bataille.

☐ Un combat singulier oppose Baligant à Charlemagne.

☐ La belle Aude meurt en apprenant la mort de Roland.

☐ L'ange Gabriel intervient pour faire durer le jour.

☐ Roland meurt après avoir sonné du cor.

☐ Charlemagne poursuit les Sarrasins.

☐ L'arrière-garde se fait massacrer.

☐ Ganelon est jugé et condamné à mort.

☐ Ganelon se range du côté de l'ennemi.

☐ Ganelon fait nommer Roland à l'arrière-garde.

☐ Roland fait nommer Ganelon comme ambassadeur auprès de Marsile.

2. Cochez la bonne réponse :

a. Charlemagne est resté en Espagne :

☐ pendant dix ans
☐ pendant sept ans
☐ pendant dix-sept ans

b. Qui suggère à Marsile de faire semblant de se soumettre à Charlemagne ?

☐ Blancandrin
☐ Clarin de Balaguer
☐ Estamarin

c. Les messagers de Marsile dans le camp de Charlemagne porteront :

☐ des branches d'olivier
☐ des branches de sapins
☐ des couronnes de lauriers

d. Citez deux chevaliers qui se proposent comme ambassadeur chez Marsile :

☐ le duc Naimes
☐ Geoffroy d'Anjou
☐ Turpin

e. La bataille de Roncevaux oppose :

☐ cent mille Français à quatre cent mille Sarrasins
☐ vingt mille Français à quatre cent mille Sarrasins
☐ trente mille Français à cent mille Sarrasins

f. Qui sonne du cor pour appeler Charlemagne au secours ?

☐ Olivier
☐ Roland
☐ Olivier et Roland

g. Roland meurt :

☐ parce que sa tempe a éclaté quand il a sonné du cor
☐ parce qu'un Sarrasin lui a fendu le crâne
☐ parce qu'Olivier l'a blessé par erreur

h. Charlemagne s'oppose en combat singulier avec :

- ☐ Marsile
- ☐ Baligant
- ☐ Le Marganice

i. Le procès de Ganelon a lieu à :

- ☐ Roncevaux
- ☐ Sarragosse
- ☐ Aix-la-Chapelle

j. Lequel de ces chevaliers se propose de défendre Ganelon ?

- ☐ Thierry
- ☐ Pinabel
- ☐ le duc Naimes

k. Ganelon est condamné à être :

- ☐ pendu
- ☐ brûlé
- ☐ écartelé

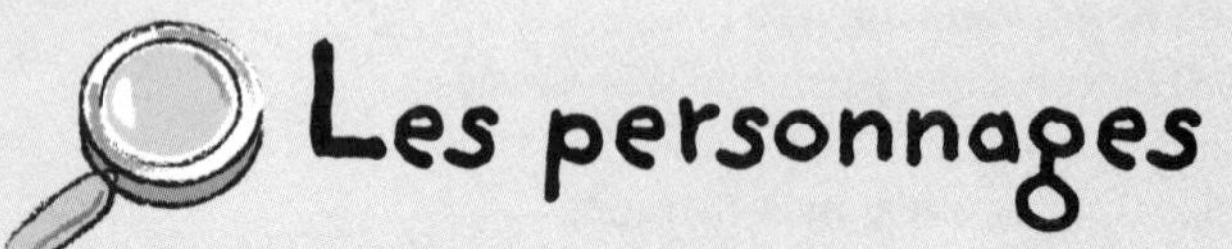

Les personnages

1. Charlemagne est âgé de :

- ☐ cent vingt ans
- ☐ deux cents ans
- ☐ cent cinquante ans

2. Lequel de ces chevaliers est aussi archevêque :

- ☐ le duc Naimes ?
- ☐ Turpin ?
- ☐ Gérard de Roussillon ?

3. Précisez les liens entre les personnages et soulignez la bonne réponse :

a. Aude est la sœur / la fiancé d'Olivier ?
b. Bramidoine est la femme de Marsile / de Baligant ?
c. Roland est le neveu / le beau-fils de Charlemagne ?
d. Olivier est le frère / l'ami de Roland ?
e. Ganelon est le beau-père / l'oncle de Roland ?

4. Quel personnage prononce ces phrases dans *La Chanson de Roland* : Olivier, Roland, Turpin ?

« Le tort est aux païens, aux chrétiens le droit. »

« Mais je préfère mourir que subir la honte d'un appel au secours ! »

« [...] car vaillance sensée et folie sont deux choses, et mesure vaut mieux que témérité. »

« Je ne suis pas vaincu. Un vaillant, tant qu'il vit, ne se rend pas ! »

« Ah ! Durendal, comme tu es belle, et claire, et brillante ! »

5. Parmi ces personnages, lesquels sont des Sarrasins, lesquels des Français ?

Baligant – Geoffroy d'Anjou – Bramidoine – Pinabel – Aude – Falsaron – le roi Corsalis – Escremiz de Valterne – Clarin de Balaguer – Thierry.

Sarrasins	Français

Avez-vous bien lu ?

Les thèmes

1. Précisez le thème développé dans chaque phrase : la foi, le pacte féodal, la prouesse, le patriotisme, la justice.

a. « Les Français mettent pied à terre et s'arment de hauberts, de heaumes et d'épées parées d'or. »

b. « Ganelon est félon, puisqu'il a trahi : c'est envers vous qu'il s'est parjuré et qu'il a commis un crime. »

c. « À haute voix il se confesse, les deux mains jointes et levées vers le ciel, et prie Dieu qu'il lui donne le paradis. »

d. « L' empereur s'en va sous un pin ; pour tenir son conseil il fait appeler ses barons. »

e. « Terre de France, vous êtes un doux pays ; en ce jour la pire catastrophe vous a anéantie ! »

2. À l'aide de flèches, faites coïncider chaque personnage avec le thème qu'il représente :

Marsile •	
Ganelon •	• la sagesse
Roland •	• le pouvoir
Olivier •	• l'orgueil
Charlemagne •	• la fidélité
Thierry •	• la foi
Turpin •	

3. Parmi les thèmes suivants, lesquels ne figurent pas dans *La Chanson de Roland* ?

La jalousie – l'argent – la guerre – la prouesse – le merveilleux – la trahison – l'amour – la passion amoureuse – la justice – le patriotisme – la foi – la générosité – la vieillesse – la jeunesse – la mort – la vengeance – l'amitié

La civilisation du Moyen Âge

1. Parmi les qualités qui définissent le parfait chevalier, laquelle correspond à la définition suivante : « acte de courage, de bravoure, de vaillance » ?

- ☐ la prouesse
- ☐ le conseil
- ☐ la sagesse
- ☐ l'obéissance
- ☐ la loyauté
- ☐ le dévouement
- ☐ le courage
- ☐ l'honneur

2. Que désigne le terme « heaume » ?

- ☐ a. une tunique de mailles
- ☐ b. un bouclier
- ☐ c. un casque avec une visière
- ☐ d. une lance
- ☐ e. une cuirasse

3. Faites correspondre ces mots-clés de *La Chanson de Roland* avec leur signification :

a. Montjoie •	• I. épée d'Olivier
b. Précieuse •	• II. épée de Roland
c. Durendal •	• III. cheval de Roland
d. Veillantif •	• IV. cri de guerre de Charlemagne
e. Hauteclaire •	• V. épée de Charlemagne
f. Tencendur •	• VI. cheval de Charlemagne

4. Lequel de ces termes n'entre pas forcément dans la définition du mot « félon » ?

a. traître
b. déloyal
c. perfide
d. trompeur
e. lâche

5. Un des termes suivants ne désigne pas une arme. Barrez-le.

a. un heaume
b. un épieu
c. un écu
d. une lance
e. un javelot

L'écriture de *La Chanson de Roland*

1. Lesquelles de ces phrases sont caractéristiques du registre épique ?

a. « Il frappe en vaillant. Il a taillé en pièces Faldrun de Pui et vingt-quatre autres combattants ennemis, des plus glorieux. »
b. « Mille Sarrasins mettent pied à terre ; à cheval, ils sont quarante mille. »
c. « Soixante mille clairons sonnent, et si haut que les monts retentissent et que répondent les vallées. »
d. « Le comte Roland, quand il les voit venir, se fait plus fort, plus fier, plus ardent. »
e. « Il n'y a route ni sentier, pas un centimètre, pas le moindre petit espace de terrain où ne soit étendu un Français ou un païen. »

2. Laquelle de ces phrases n'appartient pas au registre réaliste?

a. « Il [...] lui ouvre le crâne, et la cervelle se répand, il lui fend tout le visage jusqu'à la barbe blanche, et l'abat définitivement mort. »

b. « Au moment où il rencontre son compagnon, il le frappe sur son heaume couvert d'or et de pierres précieuses. »
c. « Il secoue sa lame dans la plaie et l'abat mort. »
d. « Son sang coule clair le long de son corps ; sur la terre tombent les caillots. »
e. « Le comte Roland voit l'archevêque contre terre. Hors de son corps il voit ses entrailles qui gisent ; la cervelle dégoutte de son front. »

3. Lesquelles de ces phrases entrent dans le registre pathétique?

a. « Ils lui arrachent les poils de la barbe et des moustaches, le frappent chacun par quatre fois du poing, le battent à coups de triques et de bâtons. »
b. « Olivier sent qu'il est frappé à mort. Il tient Hauteclaire, dont l'acier est bruni. »
c. « Le preux Roland le pleure et gémit. Jamais vous n'entendrez sur terre un homme plus désespéré. »
d. « Si grand est son deuil, il ne peut plus rester debout ; qu'il le veuille ou non, il tombe à terre, évanoui. »
e. « L'empereur fait sonner ses clairons ; puis il chevauche, le preux, avec sa grande armée. »

Denier d’argent à l’effigie de Charlemagne (IXe siècle).

POUR APPROFONDIR

Thèmes et prolongements

✣ Charlemagne et les siens

La Chanson de Roland, supposée mettre en scène un événement de l'âge carolingien, nous plonge en réalité dans la société féodale telle qu'elle existe mais aussi telle qu'on la rêve à la fin du XIe siècle, date de la création de l'œuvre : dans cette société le roi, suzerain puissant et avisé, règne sur une France très aimée, avec, autour de lui, des grands seigneurs, ses vassaux, attachés à sa personne par des obligations morales et politiques.

Le pacte féodal : service et conseil

À la tête d'un immense empire, Charlemagne ne gouverne pas seul : il est entouré de ses barons, des nobles qui lui ont prêté serment de fidélité en échange d'un « fief » (une terre). Le pacte suppose que le roi assiste ses vassaux en cas de difficulté. Sur ce point, Charlemagne se trouvera pris en défaut : « Barons français, je vous vois mourir pour moi, et je ne puis vous défendre ni vous sauver. »
Les devoirs des barons se résument en un mot : le « service ». Dans le récit, ces personnages de haut rang participent aux grandes décisions, rendent la justice et font la guerre. Ainsi, le choix d'un ambassadeur chargé de négocier la capitulation de Marsile se fait au cours d'un « conseil » tumultueux qui aboutit à la désignation de Ganelon. C'est aussi au cours d'un « conseil » que Roland, sur proposition de Ganelon, est nommé à l'arrière-garde des armées françaises. De même, le jugement du traître donne lieu à une concertation où les barons s'expriment, où l'accusation et la défense sont représentées à égalité pour un verdict sans appel. Enfin, à Roncevaux, les barons se battent au nom de l'empereur : « Frappez, seigneurs... afin que douce France ne soit pas déshonorée par nous ! »

Les douze pairs

Charlemagne est entouré de douze pairs, comme Jésus de ses douze apôtres. Ces hommes d'élite sont infiniment précieux et il n'est pas question pour l'empereur de les envoyer en émissaires dans le camp ennemi : « Malheur à qui me nommerait l'un des douze pairs ! » Et, pourtant, c'est au service du roi que ces douze héros perdront la vie à Roncevaux... Parmi la garde rapprochée du roi, se distingue le duc Naimes (« il n'y avait en la cour nul meilleur vassal »), dont la parole est d'or : « Vous êtes homme de grand conseil ». C'est lui qui appuie Ganelon, favorable à une entente avec Marsile au début de la Chanson ; lui aussi qui incite l'empereur à accepter que Roland conduise l'arrière-garde et qui le pousse, plus tard, à voler au secours de son neveu « Armez-vous, criez votre cri d'armes et secourez votre noble maison » ; lui enfin qui, après le massacre, suggère au roi désespéré de poursuivre les Sarrasins : « Vengez cette douleur ! » L'archevêque Turpin de Reims est également un des meilleurs parmi les meilleurs. Ardent défenseur des intérêts du roi, il accepte le sacrifice (« pour notre roi nous devons bien mourir ») et, après des actions héroïques sur le champ de bataille, il donne l'absolution aux soldats français avant de rendre l'âme.

Roland et Olivier

« Roland est preux et Olivier est sage ». « Le puissant comte Roland » et son ami Olivier forment un duo d'exception : « Tous deux sont de courage merveilleux ». Du premier, neveu et « bras droit » de Charlemagne, Ganelon dit : « Il n'y a personne de si vaillant que lui d'ici jusqu'en Orient » et le roi avoue : « si je le perds, jamais je ne trouverai son semblable ». Roland a en effet consolidé la puissance de son seigneur en domptant, par les armes, « de larges terres », et sa mort va affaiblir l'empire. Le roi le sait : « Mon honneur s'en va vers son déclin ».

Quant au second, le sage Olivier, il échoue à persuader Roland de sonner du cor. Agonisant, il appelle Roland : « Sire compagnon, venez vers moi, tout près ; en grande douleur, en ce jour, nous serons séparés. »

Tous deux sont des serviteurs d'exception : le preux Olivier « frappe en vrai baron » dans un combat qu'il sait perdu d'avance. Au cours de la brève agonie d'Olivier, Roland pense non à lui-même, mais à Charlemagne son seigneur : « L'empereur en aura grand dommage. »

✣ Le preux chevalier

La civilisation française du Moyen Âge propose en modèle le preux chevalier, idéal humain qui apparaît dans *La Chanson de Roland*, à travers les personnages de Charlemagne, des douze pairs et des chevaliers d'élite qui entourent le roi. Ces hommes exemplaires qui affichent des qualités morales exceptionnelles ont aussi pour eux la force physique. Guerriers intrépides, ils se conduisent en héros sur le champ de bataille, au nom de Dieu, du roi et de la France.

Honneur, lignage, solidarité

De l'avis même de Ganelon, Charlemagne réunit en sa personne toutes les qualités du preux : « il y a plus d'honneur en lui et plus de vertus que n'en diraient mes paroles. » Comme lui, ses vassaux sont soucieux de leur honneur personnel, familial, et féodal ; ils ont le sentiment très fort de leur dignité et de leur réputation. Contrairement à Ganelon, le « félon », jamais ils n'accompliront une action qui leur ferait perdre l'estime de soi et des autres, ou qui compromettrait l'honneur de leurs aïeux et de leurs descendants. Roland, par exemple, tient à garantir le prestige de son lignage. Ainsi, pas question d'accepter la moitié des armées de Charlemagne dans l'arrière-garde : « Devant Dieu, jamais je ne faillirai à mon lignage. Je garderai avec moi vingt mille Français bien vaillants. » Et à Roncevaux, même préoccupation : il ne sonnera pas du cor pour ne pas ternir la réputation de sa parenté : « Ne plaise à Dieu que pour moi mes parents soient blâmés. » S'ajoute à ces valeurs le principe de solidarité, d'entr'aide et de fraternité : ainsi, au pire de la bataille de Roncevaux, Roland se tient aux côtés de Turpin : « Pour l'amour de vous je resterai fermement en ce lieu. Ensemble nous y recevrons et le bien et le mal. » Et, quand ne demeurent sur le champ de bataille que Roland, Turpin et Gautier de l'Hum, le poète insiste : « Pas un des trois ne veut abandonner les autres. »

Force morale et vigueur physique

Les héros de *La Chanson* affichent une force morale qui n'a d'égal que leur puissance physique : ce sont des surhommes. En dépit de leur faiblesse numérique, les chevaliers de l'arrière-garde affichent une volonté inébranlable : « Les Français sont hardis et frapperont vaillamment ; ceux d'Espagne n'échapperont pas à la mort » (Roland). La même détermination farouche apparaît quand les événements commencent à tourner mal pour les Français. Aux paroles pessimistes d'Olivier, Roland répond : « Maudit soit le cœur qui dans la poitrine cède à la lâcheté ! » Ni la « folie », ni le « grand orgueil » du héros ne suffisent à expliquer une telle fermeté dans la pensée. En réalité, les combattants sont servis par une foi inébranlable, mais aussi par une vigueur et une endurance physiques exceptionnelles que le registre épique met bien en évidence : Olivier, gravement blessé, fend la tête de Marganice « jusqu'aux dents » ; Turpin, « le corps percé de quatre épieux... se redresse » et « Charles [...] trouvera autour de lui quatre cents Sarrasins » morts ou blessés !

Prouesse et héroïsme

Loin de décourager le preux, la difficulté le stimule : quand Olivier souligne : « Grandes sont les armées de ces étrangers et bien petite notre troupe », Roland répond : « Mon ardeur s'en accroît. » Il se conduit en conquérant, toujours à l'offensive : « au plus fort de la mêlée, il va tous les assaillir. » Les preux fondent leur prouesse sur leur mépris de la mort : « Jamais par peur de la mort ils n'esquiveront la bataille »(Olivier et Roland). Ils savent aussi manier les armes, en vrais professionnels de la guerre. Charlemagne lui-même affiche son talent guerrier dans son duel avec Baligant : d'abord à cheval, les deux adversaires échangent « de grands coups d'épieu sur leurs boucliers », puis tombés à terre ils se battent à l'épée, chacun essayant de briser le heaume de l'autre jusqu'à la victoire finale de l'empereur, qui signe sa vengeance.

Un récit épique et pathétique

L'originalité de *La Chanson de Roland* tient à son double registre à la fois épique et pathétique. La guerre y prend des dimensions apocalyptiques : tout y est brutal, formidable et exagéré. Mais l'angoisse qui tourmente Charlemagne, comme le désespoir qui terrasse les héros en deuil donnent au récit une délicatesse touchante. C'est ce mélange de deux contraires qui confère à *La Chanson* une poésie si particulière.

Le registre épique : une sorte de « verre grossissant »[1]

Dans la *Chanson*, vingt mille Français sont anéantis par 400 000 Sarrasins dans des scènes dantesques où le bruit assourdit et la lumière aveugle. Les images sont splendides, quand elles rapportent par exemple les préparatifs des Sarrasins avant la bataille, un jour de grand soleil : « pas une armure qui toute ne flamboie. Mille clairons sonnent pour que ce soit plus beau. Le bruit est grand ». De larges fresques montrent des paysages immenses comme celui du champ de bataille qu'observe Olivier monté sur une hauteur d'où il découvre les armées païennes « assemblées en si grande masse » avec des corps de bataille « si nombreux qu'il ne peut les compter ». Les chiffres hyperboliques (« ils sont bien cent mille ») donnent le frisson tandis que les adverbes soulignent le caractère unique d'une situation : « Vous aurez une bataille telle qu'il n'en fut jamais ». Les coups sont rapportés sous une forme superlative à fort effet dramatique et les phrases courtes frappent l'imagination : « il [l'archevêque] frappe mille coups et plus », « par centaines et par milliers les païens meurent ». Quant à l'accumulation, comme la reprise, elle terrasse et enivre le lecteur : « et ils lancèrent contre lui des dards et des flèches... des épieux, des lances, des javelots ». Le réalisme, impressionnant par nature, est ici phénoménal : « Si vous aviez vu comme il jette le mort sur le mort,

1. Marc Bloch, *La Société féodale : la formation des liens de dépendance*, Albin Michel, 1939.

et le sang clair s'étaler par flaques ! Il en a ensanglanté son haubert, et ses deux bras et son bon cheval, de l'encolure jusqu'aux épaules. » Pour susciter la crainte et l'admiration, le poète a trouvé toutes les formules du style épique !

Le registre pathétique : émotions et larmes

Mais, si l'on tremble tout au long de La Chanson, on pleure aussi, on se désole et on s'évanouit, car les preux ont le cœur sensible. Charlemagne est vulnérable, sujet à l'anxiété. Après avoir laissé Roland à l'arrière-garde, ses tourments commencent : « Sous son manteau il cache son angoisse », « Charlemagne pleure » à l'idée du piège tendu à Roland. Plus tard, quand il constate le désastre, c'est un homme brisé qui exprime une plainte aux accents pleins de vérité. Quant à Roland, le héros autrefois invincible, l'image qu'en donne le poète est bouleversante : « Le comte Roland a la bouche sanglante. Sa tempe s'est rompue. Il sonne l'olifant douloureusement, avec angoisse. » Olivier mourant révèle un cœur plein de douceur dans une scène d'adieu où s'exprime la fraternité des deux compagnons : « Sire compagnon, venez vers moi, tout près ; en grande douleur, en ce jour, nous serons séparés » ; et Roland de lui dire un peu plus loin : « C'est moi, Roland, celui qui vous aime tant. »
Les moments attendrissants abondent : agonie et mort des héros, arrivée de Charlemagne à Roncevaux, trépas de la belle Aude. On exprime son deuil, on évoque avec une nostalgie poignante les qualités uniques des preux morts au combat ; on songe avec désespoir à la « douce France », privée désormais de ses braves (laisse 139).

Une poésie particulière

Mais ce qui fait la poésie du récit, c'est l'association des deux principaux registres, souvent dans une même phrase, par exemple quand « cent mille Français s'attendrissent » devant Charlemagne en larmes (laisse 68) ou quand « vingt mille [barons chevaliers] perdent connaissance » sous l'effet du chagrin.

✥ Chrétiens et Sarrasins : le choc de deux civilisations

La Chanson de Roland est portée tout entière par l'esprit des croisades : l'épisode de Roncevaux s'inscrit dans le cadre d'une guerre sans merci que Charlemagne mène depuis sept ans contre les Sarrasins avec pour principal objectif de christianiser les infidèles. L'affrontement des deux camps sur le champ de bataille révèle un conflit essentiel entre deux rois, deux religions et deux civilisations.

Le camp de Charlemagne

C'est une « douce France » très catholique que met en scène *La Chanson de Roland* : paroles et rituels chrétiens jalonnent le récit, que ce soit dans des situations quotidiennes (Et le roi dit : « Allez, au nom de Jésus et de moi-même ») ou dans des moments extrêmes (à Roncevaux, Turpin confessant les Français à l'agonie). Toute l'action de Charlemagne et des siens porte la marque d'une conviction religieuse inflexible ainsi qu'en témoignent les paroles de Roland avant la bataille : « Le tort est aux païens, aux chrétiens le droit » (laisse 79) ou l'exhortation de Turpin, pendant les combats : « Aidez à soutenir la chrétienté ! » C'est la foi qui donne aux chrétiens leur élan guerrier et qui les confirme dans le sacrifice qu'ils font de leur vie.

À leurs yeux, les Sarrasins, désignés comme « les infidèles », représentent « la race maudite » (laisse 144). Comme telle, elle est, dans la croyance des chrétiens, vouée au malheur : « Le roi Marsile qui n'aime pas Dieu... ne pourra empêcher le malheur de l'atteindre. » En témoignent les miracles qu'accomplit saint Gabriel pour Charlemagne tandis que Tervagant et Mahomet, dieux des Sarrasins, restent sourds aux supplications des leurs (laisses 180, 264).

Le camp de Marsile

Le camp de Marsile est calqué sur celui de Charlemagne : le roi païen est entouré de ses barons et de ses douze pairs. Décrit comme un « bon chevalier » et un « bon conseiller », le sage Blancandrin se voit reconnaître, par le poète lui-même, « sa vaillance » et sa « prud'homie ». Le roi païen tient conseil ; il distribue à ses vassaux méritants « de l'or et de l'argent en masse, des terres et des fiefs » ; il dispose d'une armée considérable dotée de preux distingués qui font merveille sur le champ de bataille.

Parallèlement, le camp des Sarrasins est dépeint sous un jour exotique pour bien signifier qu'on est en Orient : le charroi qui accompagnera « les paroles de fidèle service et de très grande amitié » à Charles est composé « d'ours, de lions et de chameaux » et, quand Marsile bat le rappel de ses troupes, il envoie chercher les « almaçours, les amirafles et les fils des comtors ».

Mais, en toute occasion, le camp des « païens félons » est montré sous un jour négatif : l'émir Marsile est un fourbe qui, par deux fois, feint la capitulation tout en préparant une embuscade. Le Marganice « frappe Olivier par-derrière, en plein dos » et un Sarrasin attaque Roland par surprise après avoir fait semblant d'être mort. Enfin, les païens qui affirment que « Mahomet vaut mieux que saint Pierre de Rome » sont des idolâtres sans jugement.

La Chanson : une œuvre idéologique

Tout au long du récit, le préjugé idéologique et religieux domine : la croyance des Sarrasins est désignée du point de vue chrétien, comme « la fausse religion, celle que Dieu n'aime pas ». Toutes les qualités de l'ennemi sont discréditées : Balaguer « serait un fameux baron, s'il était chrétien » ! La fin de la *Chanson* confirme ce parti pris : elle montre Marsile et Baligant terrassés, Saragosse conquise, les païens forcés au baptême. La reine captive à Aix-la Chapelle « a entendu tant de sermons et de bons exemples qu'elle veut croire en Dieu et demande à se faire chrétienne ». Ce dénouement exclusivement favorable aux chrétiens affiche l'orientation partisane d'un récit écrit à la gloire de l'Église conquérante engagée dans les croisades.

Textes et images

✣ Douce France

Exaltée avec amour et nostalgie dans *La Chanson de Roland*, la France fait l'objet, depuis toujours, d'un intérêt passionné chez de nombreux écrivains. Sensibles à sa douceur de vivre et à ses beautés naturelles, à ses terroirs et à ses villages, à son goût des bonheurs simples et à son esprit créateur, les poètes la célèbrent aussi pour son amour de la liberté.

Documents

❶ « France, mère des arts... », poème extrait des *Regrets*, de Joachim du Bellay (1558).

❷ « Heureux qui comme Ulysse... » , poème extrait des *Regrets*, de Joachim du Bellay (1558).

❸ « Le Pays », poème extrait du recueil *Le Cœur innombrable*, d'Anna de Noailles (1901).

❹ « Le Conscrit des cent villages », poème extrait de *La Diane française*, de Louis Aragon, Seghers (1944).

❺ Photo du village de Riquewihr en Alsace (Haut-Rhin).

❻ « Le Déjeuner sur l'herbe » de Claude Monet (1863).

❼ « Jeanne-Marguerite Lecadre au jardin » de Claude Monet (1866).

❶

France, mère des arts, des armes et des lois,
Tu m'as nourri longtemps du lait de ta mamelle :
Ores[1], comme un agneau qui sa nourrice appelle,
Je remplis de ton nom les antres[2] et les bois.

Si tu m'as pour enfant avoué quelquefois,
Que ne me réponds-tu maintenant, ô cruelle ?

---

1. **Ores :** maintenant.
2. **Antres :** grottes.

France, France, réponds à ma triste querelle.
Mais nul, sinon Écho, ne répond à ma voix.

Entre les loups cruels j'erre parmi la plaine,
Je sens venir l'hiver, de qui la froide haleine
D'une tremblante horreur fait hérisser ma peau.

Las, tes autres agneaux n'ont faute de pâture,
Ils ne craignent le loup, le vent, ni la froidure :
Si ne suis-je pourtant le pire du troupeau.

2

Heureux qui, comme Ulysse[1], a fait un beau voyage,
Ou comme cestuy-là[2] qui conquit la Toison[3],
Et puis est retourné, plein d'usage[4] et raison,
Vivre entre ses parents le reste de son âge !

Quand reverrai-je, hélas ! de mon petit village
Fumer la cheminée, et en quelle saison
Reverrai-je le clos de ma pauvre maison,
Qui m'est une province et beaucoup davantage ?

Plus me plaît le séjour qu'ont bâti mes aïeux,
Que des palais Romains le front audacieux :
Plus que le marbre dur me plaît l'ardoise fine,

Plus mon Loire gaulois que le Tibre[5] latin,
Plus mon petit Liré[6] que le mont Palatin[7],
Et plus que l'air marin la douceur angevine.

---

1. **Ulysse :** héros de *L'Odyssée*, récit épique du poète grec Homère.
2. **Cestuy-là :** celui-là.
3. **La Toison :** Jason, héros grec parti à la conquête de la Toison d'or avec les Argonautes.
4. **Usage :** expérience.
5. **Tibre :** fleuve qui passe à Rome.
6. **Liré :** village des bords de Loire où est né le poète.
7. **Mont Palatin :** une des collines qui surplombent Rome.

3

Ma France, quand on a nourri son cœur latin
Du lait de votre Gaule,
Quand on a pris sa vie en vous, comme le thym,
La fougère et le saule,

Quand on a bien aimé vos forêts et vos eaux,
L'odeur de vos feuillages,
La couleur de vos jours, le chant de vos oiseaux,
Dès l'aube de son âge,

Quand, amoureux du goût de vos bonnes saisons
Chaudes comme la laine,
On a fixé son âme et bâti sa maison
Au bord de votre Seine,

Quand on n'a jamais vu se lever le soleil
Ni la lune renaître
Ailleurs que sur vos champs, que sur vos blés vermeils,
Vos chênes et vos hêtres,

Quand, jaloux de goûter le vin de vos pressoirs,
Vos fruits et vos châtaignes,
On a bien médité dans la paix de vos soirs
Les livres de Montaigne,

Quand, pendant vos été luisants, où les lézards
Sont verts comme des fèves,
On a senti fleurir les chansons de Ronsard
Au jardin de son rêve,

Quand on a respiré les automnes sereins
Où coulent vos résines,
Quand on a senti vivre et pleurer dans son sein
Le cœur de Jean Racine,

Quand votre nom, miroir de toute vérité,
Émeut comme un visage,

Alors on a conclu avec votre beauté
Un si fort mariage

Que l'on ne sait plus bien, quand l'azur de votre œil
Sur le monde flamboie,
Si c'est dans sa tendresse ou bien dans son orgueil
Qu'on a le plus de joie...

4

Prairie adieu mon espérance
Adieu belle herbe adieu les blés
Et les raisins que j'ai foulés
Adieu mes eaux vives ma France

Adieu le ciel et la maison
Tuile saignante ardoise grise
Je vous laisse oiseaux les cerises
Les filles l'ombre et l'horizon

J'emmène avec moi pour bagage
Cent villages sans lien sinon
L'ancienne antienne[1] de leurs noms
L'odorante fleur du langage

Adieu Forléans Marimbault
Vallore-Ville Volmerange
Avize Avoine Vallerange
Ainville Septoutre Mongibaud

Fains-la-Folie Aumur Andance
Guillaume-Peyrouse Escarmin
Dancevoir Parmilieu Parmain
Linthes-Fleurs Caresse Abondance

Adieu La Faloise Janzé
Adieu Saint Désert Jeandelize
Gerbépal Braize Juvelize
Fontaine-au-Pire et Gévézé

---

1. **Antienne :** hymne, chanson, refrain.

5

6

7

✣ Étude des textes

Savoir lire

1. Quels aspects de la France chaque poète célèbre-t-il ? Quels sentiments, quelles émotions l'animent ? Citez les expressions et les vers les plus révélateurs.
2. Quelle relation du poète avec son pays suggère l'expression « ma France » dans les textes 3 et 4 ?
3. En citant quelques expressions ou vers particulièrement significatifs, justifiez le titre « Regrets » du recueil auquel appartiennent les deux poèmes de Du Bellay.

Savoir faire

4. Qui sont Montaigne, Ronsard et Racine, évoqués dans le poème d'Anna de Noailles ? Aidez-vous d'internet ou d'un dictionnaire des noms propres.
5. Dans un registre lyrique qui s'inspirera des textes présentés ci-dessus, évoquez la France sous la forme d'un texte poétique en prose d'une dizaine de lignes intitulé « Douce France ».
6. Trouvez dix mots-clés qui vous paraissent définir la France dans ses aspects les plus représentatifs.
7. Citez dix noms propres d'artistes, d'écrivains, de sportifs qui vous semblent définir le génie créatif de la France.

✣ Étude des images

Savoir analyser

1. Quel est le point commun des trois images évoquant la France ? Quel atmosphère se dégage de ces documents ? Appuyez votre réponse sur des éléments précis.
2. Montrez que les vêtements nous permettent de dater les deux documents présentant des personnages : à quelle époque renvoient-ils ? Quelle France mettent-ils en scène ?
3. Comment est composée la photo du petit village d'Alsace ? À quoi tient l'impression de bonheur paisible qui s'en dégage ? Quel texte pourrait-elle illustrer ?

Savoir faire

4. Composez une strophe en vers à la gloire du petit village alsacien présenté dans le document 5.
5. Claude Monet est un peintre français « impressionniste » : après avoir donné la définition de ce terme, expliquez en quoi les deux tableaux traduisent l'art de ce grand artiste.
6. Laquelle de ces trois images illustre le mieux, selon vous, le titre « Douce France » du groupement de textes ? Expliquez votre point de vue.

✣ Deux amis

Sensible et exclusive, l'amitié qui lie deux personnes est un sentiment délicat exigeant sans cesse des garanties et des preuves. Née d'une rencontre heureuse dans l'enfance ou à l'âge adulte, elle se construit à partir de goûts communs, de bons moment partagés ou d'épreuves surmontées ensemble. Ce sentiment élevé qui ne pardonne ni la négligence ni la déloyauté inspire inlassablement les poètes et les romanciers.

Documents

❶ « De Deux Amis et de l'Ours », extrait des *Fables* d'Ésope (VIIe-VIe siècles avant J.-C.).

❷ « Les Deux Amis », extrait des *Fables* de Jean de La Fontaine (1678).

❸ « À M. V.H. » (à Monsieur Victor Hugo), poème d'Alfred de Musset (26 avril 1843).

❹ Extrait de *Bouvard et Pécuchet* de Gustave Flaubert (1881).

❺ « Italia und Germania », tableau de Johann Friedrich Overbeck (1828).

❻ Affiche du film « Le Vieil Homme et l'enfant », de Claude Berri. Avec Michel Simon et Alain Cohen (1966).

❼ Affiche du film « Les Cerfs-Volants de Kaboul », de Marc Forster (2007).

❶ Deux voyageurs faisant chemin ensemble aperçurent un Ours qui venait droit à eux. Le premier qui le vit monta brusquement sur un arbre, et laissa son compagnon dans le péril, quoiqu'ils eussent été toujours liés jusqu'alors d'une amitié fort étroite. L'autre, qui se souvint que l'Ours ne touchait point aux cadavres, se jeta par terre de tout son long, ne remuant ni pieds ni mains, retenant son haleine, et contrefaisant[1] le mort le mieux qu'il lui fut possible. L'Ours le tourna

1. **Contrefaisant :** imitant.

et le flaira de tous côtés, et approcha souvent sa hure[1] de la bouche et des oreilles de l'Homme qui était à terre ; mais le tenant pour mort, il le laissa et s'en alla. Les deux voyageurs s'étant sauvés de la sorte d'un si grand péril, et des griffes de l'Ours, continuèrent leur voyage. Celui qui avait monté sur l'arbre demandait à son compagnon, en chemin faisant, ce que l'Ours lui avait dit à l'oreille, lorsqu'il était couché par terre. « Il m'a dit, répliqua le Marchand, plusieurs choses qu'il serait inutile de vous raconter ; mais ce que j'ai bien retenu, c'est qu'il m'a averti de ne compter jamais parmi mes amis que ceux dont j'aurai éprouvé la fidélité dans ma mauvaise fortune »[2].

2 Deux vrais amis vivaient au Monomotapa :
L'un ne possédait rien qui n'appartînt à l'autre :
Les amis de ce pays-là
Valent bien dit-on ceux du nôtre.
Une nuit que chacun s'occupait au sommeil,
Et mettait à profit l'absence du Soleil,
Un de nos deux Amis sort du lit en alarme :
Il court chez son intime, éveille les valets :
Morphée[3] avait touché le seuil de ce palais.
L'Ami couché s'étonne, il prend sa bourse, il s'arme ;
Vient trouver l'autre, et dit : Il vous arrive peu
De courir quand on dort ; vous me paraissiez homme
À mieux user du temps destiné pour le somme :
N'auriez-vous point perdu tout votre argent au jeu ?
En voici. S'il vous est venu quelque querelle,
J'ai mon épée, allons. Vous ennuyez-vous point
De coucher toujours seul ? Une esclave assez belle
Était à mes côtés : voulez-vous qu'on l'appelle ?

1. **Hure :** tête.
2. **Ceux dont j'aurai éprouvé la fidélité dans ma mauvaise fortune :** ceux dont j'aurais mis à l'épreuve la fidélité quand j'étais dans une situation difficile.
3. **Morphée :** le dieu des Rêves.

– Non, dit l'ami, ce n'est ni l'un ni l'autre point :
Je vous rends grâce de ce zèle.
Vous m'êtes en dormant un peu triste apparu ;
J'ai craint qu'il ne fût vrai, je suis vite accouru.
Ce maudit songe en est la cause.
Qui d'eux aimait le mieux, que t'en semble, Lecteur ?
Cette difficulté vaut bien qu'on la propose.
Qu'un ami véritable est une douce chose.
Il cherche vos besoins au fond de votre cœur ;
Il vous épargne la pudeur
De les lui découvrir vous-même.
Un songe, un rien, tout lui fait peur
Quand il s'agit de ce qu'il aime.

❸ Il faut, dans ce bas monde, aimer beaucoup de choses,
Pour savoir, après tout, ce qu'on aime le mieux,
Les bonbons, l'Océan, le jeu, l'azur des cieux,
Les femmes, les chevaux, les lauriers et les roses.
Il faut fouler aux pieds des fleurs à peine écloses ;
Il faut beaucoup pleurer, dire beaucoup d'adieux.
Puis le cœur s'aperçoit qu'il est devenu vieux,
Et l'effet qui s'en va nous découvre les causes.
De ces biens passagers que l'on goûte à demi,
Le meilleur qui nous reste est un ancien ami.
On se brouille, on se fuit. – Qu'un hasard nous rassemble,
On s'approche, on sourit, la main touche la main,
Et nous nous souvenons que nous marchions ensemble,
Que l'âme est immortelle, et qu'hier c'est demain.

❹ Comme il faisait une chaleur de 33 degrés, le boulevard Bourdon se trouvait absolument désert.
Plus bas le canal Saint-Martin, fermé par les deux écluses, étalait en ligne droite son eau couleur d'encre. Il y avait au milieu un bateau plein de bois, et sur la berge deux rangs de barriques.

Textes et images

Au-delà du canal, entre les maisons que séparent des chantiers le grand ciel pur se découpait en plaques d'outremer, et sous la réverbération du soleil, les façades blanches, les toits d'ardoises, les quais de granit éblouissaient. Une rumeur confuse montait du loin dans l'atmosphère tiède ; et tout semblait engourdi par le désœuvrement du dimanche et la tristesse des jours d'été.
Deux hommes parurent.
L'un venait de la Bastille, l'autre du Jardin des Plantes. Le plus grand, vêtu de toile, marchait le chapeau en arrière, le gilet déboutonné et sa cravate à la main. Le plus petit, dont le corps disparaissait dans une redingote marron, baissait la tête sous une casquette à visière pointue.
Quand ils furent arrivés au milieu du boulevard, ils s'assirent à la même minute, sur le même banc.
Pour s'essuyer le front, ils retirèrent leurs coiffures, que chacun posa près de soi ; et le petit homme aperçut écrit dans le chapeau de son voisin : Bouvard ; pendant que celui-ci distinguait aisément dans la casquette du particulier en redingote le mot : Pécuchet.
– « Tiens ! » dit-il, « nous avons eu la même idée, celle d'inscrire notre nom dans nos couvre-chefs. »
– « Mon Dieu, oui ! on pourrait prendre le mien à mon bureau ! »
– « C'est comme moi, je suis employé. »
Alors ils se considérèrent.
L'aspect aimable de Bouvard charma de suite Pécuchet.
Ses yeux bleuâtres, toujours entreclos, souriaient dans son visage coloré. Un pantalon à grand-pont, qui godait par le bas sur des souliers de castor, moulait son ventre, faisait bouffer sa chemise à la ceinture ; et ses cheveux blonds, frisés d'eux-mêmes en boucles légères, lui donnaient quelque chose d'enfantin.
Il poussait du bout des lèvres une espèce de sifflement continu.
L'air sérieux de Pécuchet frappa Bouvard.
On aurait dit qu'il portait une perruque, tant les mèches garnissant son crâne élevé étaient plates et noires. Sa figure semblait tout en profil, à cause du nez qui descendait très bas. Ses jambes prises dans

des tuyaux de lasting manquaient de proportion avec la longueur du buste ; et il avait une voix forte, caverneuse.
Cette exclamation lui échappa : « Comme on serait bien à la campagne ! »
Mais la banlieue, selon Bouvard, était assommante par le tapage des guinguettes. Pécuchet pensait de même. Il commençait néanmoins à se sentir fatigué de la capitale, Bouvard aussi.
Et leurs yeux erraient sur des tas de pierres à bâtir, sur l'eau hideuse où une botte de paille flottait, sur la cheminée d'une usine se dressant à l'horizon ; des miasmes d'égout s'exhalaient. Ils se tournèrent de l'autre côté. Alors, ils eurent devant eux les murs du Grenier d'abondance.
Décidément (et Pécuchet en était surpris) on avait encore plus chaud dans les rues que chez soi !
Bouvard l'engagea à mettre bas sa redingote. Lui, il se moquait du qu'en-dira-t-on !
Tout à coup un ivrogne traversa en zigzag le trottoir ; et à propos des ouvriers, ils entamèrent une conversation politique. Leurs opinions étaient les mêmes, bien que Bouvard fût peut-être plus libéral.
Un bruit de ferrailles sonna sur le pavé, dans un tourbillon de poussière. C'étaient trois calèches de remise qui s'en allaient vers Bercy, promenant une mariée avec son bouquet, des bourgeois en cravate blanche, des dames enfouies jusqu'aux aisselles dans leur jupon, deux ou trois petites filles, un collégien. La vue de cette noce amena Bouvard et Pécuchet à parler des femmes, – qu'ils déclarèrent frivoles, acariâtres, têtues. Malgré cela, elles étaient souvent meilleures que les hommes ; d'autres fois elles étaient pires. Bref, il valait mieux vivre sans elles ; aussi Pécuchet était resté célibataire.
– « Moi je suis veuf », dit Bouvard, « et sans enfants ! »
– « C'est peut-être un bonheur pour vous ? » Mais la solitude à la longue était bien triste.

5

6

Textes et images

7

Prod DB © DreamWorks SKG - Participant Productions - Sidney Kimmel Entertainment / DR
LES CERFS-VOLANTS DE KABOUL (THE KITE RUNNER) de Marc Forster 2007
affiche française

T.C.D

✣ Étude des textes

Savoir lire

1. Qui sont les « deux amis » présentés dans chaque texte ?
2. Dans quel texte l'amitié est-elle mise à l'épreuve et l'ami condamné ?
3. Quel auteur évoque une dispute suivie d'une réconciliation ? Citez le texte.
4. À la lumière du récit de La Fontaine, répondez à la question du poète : « Qui d'eux aimait le mieux, que t'en semble, Lecteur ? »
5. Relevez les signes montrant que nous assistons, dans le texte 4, à la naissance d'une amitié : quels points communs observe-t-on chez Bouvard et chez Pécuchet ? Quel regard chacun porte-t-il sur l'autre ? Que laisse entrevoir la dernière phrase ?

Savoir faire

6. Sous la forme d'une phrase ou deux, tirez la moralité du texte d'Ésope.
7. À la façon d'Ésope, inventez une petite fable en prose qui développera le thème « deux vrais amis ».
8. Racontez une dispute qui vous a opposé à votre meilleur(e) ami(e), expliquez comment s'est terminé votre désaccord. Apportez une conclusion morale à cette expérience.
9. Citez au moins un roman de votre connaissance qui traite du thème « deux amis » et dont un extrait pourrait figurer dans ce groupement de textes.

✣ Étude des images

Savoir analyser

1. Qui sont les personnages représentés dans ces trois documents ? Quel âge ont-ils ?
2. À quelle époque appartient chaque document ? Sur quels détails de l'image vous fondez-vous pour répondre ?
3. Par quelles positions, quelles attitudes et quels gestes l'amitié est-elle suggérée dans ces trois documents ?
4. Lequel de ces couples d'amis est le plus original ? Pourquoi ?

Textes et images

Savoir faire

5. Inventez un titre suggestif pour chaque image.
6. Dans une rédaction d'une dizaine de lignes, dites laquelle de ces images vous touche le plus et expliquez vos raisons en vous fondant sur des éléments précis.
7. Trouvez dans un magazine une photo récente pouvant illustrer le thème « deux amis ».
8. Réalisez un collage sur lequel vous réunirez deux personnes qui pourraient se lier d'amitié.

Langue et langages

Exercice 1 : *La Chanson de Roland*, laisses 1-7, p. 20-22.

1. Que signifie le verbe « garder » dans la phrase « gardez-moi contre la mort et la honte » ? Substituez-lui un terme synonyme.
2. Quel est le sens de l'adjectif « sage » attribué à Blancandrin ? Proposez au moins trois adjectifs pouvant aider à définir ici cette qualité.
3. Faites une remarque sur la composition du mot « prud'homie ». Quels éléments reconnaissez-vous ?
4. Transformez au style indirect la phrase : « Il dit au roi : «Ne vous effrayez pas ! ...de très grande amitié.» »
5. « Que vous l'y suivrez » : que remplacent les mots « l' » et « y » ? Construisez une phrase qui présentera la même association de pronoms.
6. Donnez le verbe et l'adjectif dérivés du nom « honneur » : Quelle différence orthographique notez-vous ?
7. Précisez le temps et le mode du verbe « soyons » dans la phrase « et que nous en soyons réduits à la mendicité ». Conjuguez ce verbe à toutes les personnes. Quelle difficulté orthographique présente-t-il ?
8. « Il est orgueilleux et son cœur est cruel : il fera trancher les têtes de nos otages. » Quelle est la valeur du deux-points entre les deux propositions ? Transformez ces deux phrases en une phrase complexe où apparaîtra une proposition subordonnée de cause, puis, dans une seconde transformation, une proposition de conséquence.
9. Que signifie le nom « humilité » ? Donnez l'adjectif et l'adverbe qui appartiennent à la famille de ce mot. Utilisez l'un des trois dans une phrase expressive.

Langue et langages

10. En faisant particulièrement attention à la ponctuation, transformez au style direct le passage : « Il dit à ses hommes : “Seigneurs, vous irez [...] en vérité, il en aura.” » Sans vous écarter du texte d'origine, apportez à la phrase les changements nécessaires à sa correction grammaticale.
11. Analysez le pronom « que » dans la phrase : « Marsile fit amener dix mules blanches, que lui avait envoyées le roi de Suatille. » Quel type de proposition introduit-il ?
12. Décrivez le siège de Saragosse par les troupes de Charlemagne. Vous évoquerez les preux français qui entourent la ville et les Sarrasins assiégés qui résistent à leurs assauts. Vous utiliserez le vocabulaire de la guerre et des armes tel qu'il figure dans *La Chanson de Roland* que vous venez d'étudier et vous adopterez un registre réaliste.

Petite méthode

- La **description** que l'on vous demande de rédiger vous donne des **points de repère géographiques** : la ville de Saragosse refermée sur elle-même pour survivre au siège. Aux alentours, les soldats français.
- Pour **décrire** les preux français, parlez des **vêtements** (heaume ou tunique de maille, haubert ou casque) et des **armes** (la lance, l'épieu, l'épée richement décorée, l'écu ou bouclier).
- Multipliez les **images réalistes** qui présenteront, sous une forme très visuelle, concrète et spectaculaire les blessures et les coups. Vous évoquerez les offensives et les reculades des uns et des autres.

Exercice 2 : *La Chanson de Roland*, laisses 270-276, p. 88-90.

1. Donnez la définition du mot « félon » puis proposez un nom dérivé en précisant quelle difficulté orthographique il présente.
2. « Serfs » et « cerf » : qu'est-ce qui permet de distinguer ces deux noms ? Donnez deux mots appartement à la même famille que « serfs » et utilisez-les dans deux phrases qui en éclaireront le sens.
3. « Charles fit appeler ses vassaux » : transformez cette phrase à la forme active.
4. Transformez au style indirect les phrases : « Seigneurs barons, dit Charlemagne, le roi, jugez-moi Ganelon selon le droit » et « Les Francs répondent : «Nous en tiendrons conseil.» » Quelle version est la plus vivante ?
5. Conjuguez le verbe « trahir » au présent de l'indicatif, au futur et au passé composé.
6. « Les Francs répondent : «Nous en tiendrons conseil» » Que remplace le pronom personnel « en » dans cette phrase ?
7. Analysez les propositions dans la phrase : « [...] s'il était loyal, on croirait voir un preux. » Identifiez et justifiez l'emploi du temps et du mode de la forme « on croirait ».
8. « Roland m'a gravement lésé » : donnez la définition du verbe « léser ». Utilisez-le dans une phrase de votre composition.
9. Faites une remarque sur l'orthographe et la prononciation du verbe « condamna ». Citez un autre mot français présentant la même particularité.
10. « [...] par mon adresse, je parvins à me sauver » : quel est le sens du mot « adresse » dans cette phrase ? Remplacez-le, tour à tour, par deux termes synonymes. Quels sont les deux autres sens possibles de ce nom ?

Langue et langages

11. Trouvez, dans la laisse 274, une phrase qui définit le mot « éloquence ».
12. « Bavarois et Saxons sont entrés en conseil, et les Poitevins, les Normands, les Français, Allemands » : pourquoi les noms sont-ils écrits avec une majuscule ? Utilisez le mot « Français » dans une phrase où il sera adjectif. Mettrez-vous ou non une majuscule ? Quelle est la règle ?
13. Transformez en une phrase complexe les deux phrases : « Les barons reviennent vers Charlemagne. Ils disent au roi : [...]. »
14. « Devant le roi, Ganelon se tient debout. Il a le corps gaillard, le visage bien coloré[...]. » Continuez ce portrait au présent de l'indicatif en donnant vie au personnage à travers ses gestes et les traits de son visage. Cette peinture devra suggérer la personnalité du baron.

Petite méthode

• Le **portrait** d'un personnage vise généralement à faire comprendre son caractère, ses idées, ses sentiments et son rôle dans l'action.

• La consigne vous indique que le portrait devra suggérer la **personnalité** du baron : il faut donc, avant tout, définir cette personnalité (son caractère, les valeurs et les personnes auxquelles il est attaché) à partir de votre lecture de *La Chanson de Roland*.

• Il vous est demandé de « **donner vie** » au portrait : les mouvements ou les traits que vous évoquerez devront **animer** le personnage de Ganelon, c'est-à-dire le mettre en scène comme un homme éprouvant des sentiments et des émotions. Le portrait montrera à la fois la complexité de l'accusé et la situation tragique dans laquelle il se trouve.

Exercice 3 : texte 4, p. 123.

1. Faites l'analyse logique de la première phrase puis inventez une phrase complexe dans laquelle « comme » introduira une proposition subordonnée circonstancielle de temps.
2. « Des chantiers le grand ciel pur » : ce groupe nominal est-il sujet ou COD du verbe « séparent » ? Faites une remarque sur la place qu'il occupe dans la phrase.
3. Donnez la définition du nom « rumeur ». Utilisez ce mot dans deux phrases où il aura d'abord son sens propre, puis son sens figuré.
4. Proposez deux synonymes du mot « désœuvrement ».
5. « Ils s'assirent à la même minute » : précisez le temps et le mode du verbe puis conjuguez-le à toutes les personnes.
6. « Pendant que **celui-ci** distinguait aisément dans la casquette du particulier en redingote le mot : Pécuchet » : à quelle catégorie de mots appartient « celui-ci » ? Que remplace-t-il dans la phrase ?
7. « L'aspect aimable de Bouvard charma de suite Pécuchet.... L'air sérieux de Pécuchet frappa Bouvard » : justifiez l'emploi du passé simple et de l'imparfait dans les descriptions qui suivent ces deux phrases.
8. « Sa figure semblait tout en profil, à cause du nez qui descendait très bas » : transformez cette construction en une phrase complexe qui fera apparaître une proposition subordonnée circonstancielle de cause.
9. « Des **miasmes** d'égout **s'exhalaient** » : récrivez cette phrase en remplaçant les deux mots en gras par des termes synonymes.
10. Trouvez, dans le paragraphe « Mais la banlieue... que chez soi ! » des paroles rapportées au style indirect libre. Puis comparez

cette construction avec une réplique au style direct : quelle différence notez-vous dans la construction ?

11. « **Lui, il** se moquait du qu'en-dira-t-on ! » : quel effet produit la reprise du pronom personnel au début de la phrase ?

12. « Leurs opinions étaient les mêmes, bien que Bouvard fût peut-être plus libéral. » : identifiez le temps et le mode de « fût ». Justifiez l'emploi de cette forme.

13. Dans un récit au passé simple, évoquez l'amitié éternelle qui attache désormais les deux hommes. Vous parlerez de leurs entreprises communes, de leurs loisirs partagés et des épreuves qu'ils traversent ensemble. Votre rédaction commencera par : « À partir de ce jour, Bouvard et Pécuchet devinrent inséparables... »

Petite méthode

- Deux **contraintes** de forme vous guident : l'emploi du **passé simple**, un temps qui doit s'articuler avec l'**imparfait**, temps de la description dans le passé. Ensuite une phrase qui vous permet de démarrer.
- Des **pistes** vous sont proposées pour stimuler votre imagination : « les entreprises communes » des deux amis peuvent concerner le travail et la maison ; les « **loisirs partagés** », les activités (sports, jeux de cartes, spectacles, voyages et excursions...) ; enfin les « **épreuves** » peuvent être d'ordre personnel (un désaccord, un malentendu, une rencontre amoureuse), professionnel (perte ou changement d'emploi) ou familial (deuil).

Outils de lecture

Vocabulaire du Moyen Âge

Ancien français : appelé aussi « langue romane » ou « roman ». Français encore proche du latin.

Baron : désigne tout grand seigneur de l'entourage immédiat de Charlemagne.

Bâton : sceptre qui, avec le gant, symbolise la mission officielle confiée à un ambassadeur du roi.

Chenu : blanc (cheveux). Symbolise le grand âge, l'expérience et la sagesse.

Clerc : homme qui étudie en vue de devenir religieux. Cultivé, formé aux textes de l'Antiquité.

Conseil : 1. Devoir d'assistance auquel est obligé le vassal, qui doit participer aux décisions importantes de son seigneur. **2.** Assemblée des conseillers du roi.

Copiste : homme éduqué qui transcrit sur des parchemins les histoires racontées par les jongleurs.

Courtoisie : qualité d'un chevalier idéal (généreux, noble, loyal).

Destrier : cheval de bataille.

Épieu : lance.

Faillir : manquer à sa parole, à ses engagements, à ses devoirs.

Félon : traître, déloyal envers son seigneur.

Fief : terre que donne le seigneur à son vassal en échange de son assistance et de son conseil.

Fou : déraisonnable, qui cède à ses passions.

Gant : symbole féodal d'obéissance au seigneur dans le cadre d'une mission officielle.

Grande terre : la France.

Gonfanon : drapeau attaché en haut de la lance.

Haubert : partie de la cotte de mailles qui protège la poitrine.

Heaume : casque en forme de cône, enveloppant la tête et le visage et reposant sur les épaules, muni de fentes ou d'œillères pour les yeux et généralement attaché au haubert.

Outils de lecture

Jongleur : artiste ambulant qui chante des récits et des légendes épiques.

Pairs : les douze chevaliers d'élite qui accompagnent l'empereur.

Palefroi : cheval de promenade, généralement utilisé par les dames.

Preux : chevalier remarquable par ses qualités guerrières et sa droiture.

Prouesse : vaillance et excellence guerrière du chevalier.

Prud'homme : homme sage et loyal.

Sage : mesuré, prudent et raisonnable.

Sarrasins : musulmans, peuples de l'islam.

Service : obligations du vassal à l'égard de son seigneur (devoir de conseil et d'assistance militaire).

Société féodale : société du Moyen Âge, fondée sur les rapports féodaux.

Suzerain : seigneur qui a concédé un fief à un vassal. Le suzerain doit protection et justice à ses vassaux. Le vassal lui rend foi et hommage et il est soumis à diverses obligations.

Vassal : noble gentilhomme attaché à un seigneur qui lui a donné une terre.

Vocabulaire de l'analyse littéraire

Action : dans un récit, suite des événements qui constituent l'intrigue.

Anticipation : procédé par lequel on interrompt la narration pour évoquer des événements devant se produire plus tard.

Conteur : celui qui raconte une histoire.

Description : énoncé qui nomme, précise les caractères et les qualités d'une personne, d'un objet ou d'un lieu ; qui crée un décor ou une atmosphère.

Dialogue : ensemble de répliques échangées entre deux ou plusieurs personnages.

Dramatique : qui éveille des sentiments puissants (terreur, désespoir) par des procédés de dramatisation. *Ex.* : une attaque surprise.

Épique : qui peint l'héroïsme avec des images fortes et exagérées.

Histoire : événements et aventures qui constituent la matière d'un récit.

Intérêt dramatique : intérêt que peut éveiller l'action chez le lecteur.

Légende : récit à caractère merveilleux, souvent fondé sur des faits historiques déformés et amplifiés par l'imagination populaire ou littéraire.

Merveilleux : qui tient du prodige ou de la magie. Qui révèle l'existence de forces surnaturelles et mystérieuses. *Ex.* : le merveilleux chrétien.

Péripétie : événement imprévu dans le cours d'une action dramatique.

Point de vue : foyer à partir duquel est perçu un personnage ou une situation.

Réalisme : qui montre la réalité avec une précision souvent brutale.

Temps de l'histoire : époque à laquelle se déroulent les événements racontés.

Bibliographie et filmographie

Éditions de *La Chanson de Roland*

La Chanson de Roland, traduction de Joseph Bédier, H. Piazza, 1922.

- Belle traduction dans un français très littéraire.

La Chanson de Roland, Petits Classiques Bordas, traduction et commentaires de Gérard Moignet, Bordas, 1970.

- Une des traductions de référence du texte ; commentaires très pointus sur l'ancien français et sur la civilisation de l'époque par un grand spécialiste de la littérature médiévale.

La Chanson de Roland, traduction, préface, notes et commentaires de Pierre Jonin, Gallimard, Folio, 1977.

- Traduction fidèle et accessible.

La Chanson de Roland, édition de Luis Cortès, avec une traduction de Paulette Gabaudan, Nizet, 1994.

- Belle traduction ; excellent appareil critique sur l'histoire et la légende, et sur la société féodale.

Quelques chansons de geste médiévales

La Chanson de Guillaume, 1re moitié du XIIe siècle. Texte établi, traduit et annoté par François Suard, Bordas, 1991.

- Récit en 3 553 vers d'une bataille de Guillaume d'Orange contre les Sarrasins, dans laquelle les Français sont anéantis. Avec le héros Vivien et son cousin Girard.

La Chanson d'Aspremont, composée vers 1190. Traduction de François Suard, Champion, 2008.

- Raconte, en 11 376 vers, la lutte victorieuse de Charlemagne contre les Sarrasins dans l'Italie méridionale. Avec certains personnages de la Chanson de Roland (L'empereur, Roland, Turpin, le duc Naimes...).

Le Couronnement de Louis, 1re moitié du XIIe siècle. Traduction d'André Lanly, Champion, 1969.

- Chanson très courte de 2 600 vers. Raconte la lutte du roi Louis le Débonnaire, aidé du comte Guillaume, contre les ennemis qui veulent le dépouiller.

Le Charroi de Nîmes, 1re moitié du XIIe siècle. Édition bilingue de Claude Lachet, Gallimard, 1999.

▸ Raconte la conquête de Nîmes par Guillaume d'Orange et sa lutte contre les Sarrasins. Registres épique et comique. Œuvre de pure imagination, sans fondement historique.

Girart de Vienne, début du XIIIe siècle. Traduction en français moderne par Bernard Guidot. Slatkine, 2006.

▸ Évocation des vieilles luttes féodales. La bataille entre Roland et Olivier a inspiré à Victor Hugo son fameux poème.

Sur la société médiévale

Au temps des chevaliers et des châteaux forts, de Pierre Miquel. Hachette, 1990.

Quelques films épiques

Roland à Roncevaux, court-métrage de Louis Feuillade. France, 1910.

▸ Chanson de geste en 8 tableaux où se retrouvent des éléments de *La Chanson de Roland* et du Roland furieux de l'Arioste (poète italien).

La Chanson de Roland, de Frank Cassenti, France, 1977.

Braveheart, film de Mel Gibson, USA, 1995. Avec Mel Gibson et Sophie Marceau.

▸ Nombreuses scènes de combats épiques.

Le Seigneur des Anneaux, film de Peter Jackson, Nouvelle-Zélande, 2002.

▸ Avec la magnifique bataille épique du Gouffre de Helm.

Sites Internet consacrés au Moyen Âge

www.moyenageenlumiere.com

▸ Parcours thématiques proposés à partir d'images numérisées des 25 000 manuscrits conservés dans les bibliothèques de France.

www.enluminures.culture.fr

▸ Répertoire et reproduction des enluminures figurant sur les manuscrits médiévaux conservés dans les bibliothèques municipales de France.

Crédits photographiques

Couverture	**Dessin Alain Boyer**
6	Bibliothèque nationale de France, Paris - Ph. Coll. Archives Larbor
11	repris page 50 : Bibliothèque nationale de France, Paris - Ph. Coll. Archives Larbor
18	Bibliothèque Sainte Geneviève, Paris - Ph. Coll. Archives Larousse
47	Bibliothèque nationale de France, Paris - Ph. Coll. Archives Larbor
66	Bibliothèque nationale de France, Paris - Ph. Coll. Archives Larbor
71	Bibliothèque nationale de France, Paris - Ph. Coll. Archives Larbor
79	Bibliothèque nationale de France, Paris - Ph. Coll. Archives Larbor
104	Bibliothèque nationale de France, Paris - Ph. Coll. Archives Larbor
118 ht	Ph. Olivier Ploton © Archives Larousse
118 bas	Musée d'Orsay, Paris - Ph. © Archives Larbor
119	Musée de l'Ermitage, Saint-Pétersbourg - Ph. © Archives Larbor
126	Gemäldegalerie Neue Meister, Dresde - Ph. Gerhard Reinhold © Archives Larbor
127	Prod. : PAC, Renn Productions, Valoria Films - Ph. Coll. Archives Larbor - DR
128	Prod DB © DreamWorks SKG - Participant Productions - Sidney Kimmel Entertainment / DR

Direction de la collection : Carine GIRAC-MARINIER
Direction éditoriale : Jacques FLORENT
Édition : Marie-Hélène CHRISTENSEN
Lecture-correction : service lecture-correction LAROUSSE
Recherche iconographique : Valérie PERRIN, Agnès CALVO
Direction artistique : Uli MEINDL
Couverture et maquette intérieure : Serge CORTESI, Sophie RIVOIRE, Uli MEINDL
Responsable de fabrication : Marlène DELBEKEN

Photocomposition : CGI
Impression : Rotolito Lombarda (Italie)
Dépôt légal : Juillet 2010 – 303461
N° Projet : 11009339 – Juillet 2010